Super ET

Dello stesso autore nel catalogo Einaudi

Il primo miracolo di George Harrison

Romanzo Rosa

Stefania Bertola
Ragazze mancine

Einaudi

Prima edizione «I coralli»

www.einaudi.it

ISBN 978-88-06-22288-8

Ragazze mancine

Ore diciassette di un pomeriggio di fine marzo, sull'A4 Torino-Milano. Nel parcheggio dell'autogrill di Novara Est, direzione Milano, una giovane donna seduta in una Panda rossa piange irosamente, prendendo a pugni il volante. Le lacrime fiumano, i singhiozzi squassano. Mentre piange, la giovane donna si rende conto che, se vorrà, com'era sua intenzione, entrare nell'autogrill, bere un caffè e mangiare un panino Icaro, dovrà calmarsi e soprattutto mettersi gli occhiali da sole. Ma non fa neanche in tempo a cercare un pacchetto di Kleenex nella borsa, perché la portiera della macchina si apre di schianto e una ragazza bionda si siede accanto a lei. Ha in braccio una bambina piccola e quasi continua a correre anche da seduta, tanto ha fretta. Ansimando le dice:

– Andiamo... dài... parti.

Adele la guarda, sconcertata.

– Chi sei, cosa vuoi?

– Voglio che tu parta subito, prima che quello capisce dove sono finita. Dài, metti in moto, vai!

– Veramente volevo prendere un caffè, e comunque non...

– Ci fermiamo al prossimo autogrill. Vai che quello arriva e sarà peggio per te!

Adele gira la chiavetta. Non vuole che sia peggio per lei, non adesso.

Ma come è cominciato, tutto questo?

Adele, un mese prima

Sono diventata povera in un battibaleno, alle sei del mattino. Ieri sera, quando sono andata a dormire, ero ricca, avevo molte cose preziose tutte mie, tanti soldi nel portafoglio e un affascinante conto in banca, disgraziatamente non intestato a me soltanto.

E stamattina mi sono svegliata povera come la pece, miserabilmente sul lastrico.

Però non me ne sono accorta subito. Quando quel rumore mi ha svegliata, ho notato due cose: UNO, che mio marito non era piú nella sua metà del letto, e DUE, che quel rumore era la porta di casa che sbatteva.

Tutto il resto è venuto di conseguenza: scendere di corsa e vedere dalla finestra della cucina la macchina molto grossa argentata di cui non ho mai imparato il nome filarsela sulla stradina mentre il cancello automatico si richiudeva. Notare sul tavolo un biglietto e prima ancora di leggerlo capire che non conteneva buone notizie tipo: «Amore, esco presto per andare a comprarti un agnellino».

E percepire, accucciato in silenzio sul pavimento, un grosso cane tipo labrador, ma anche tipo pitbull, che sbatte una violenta coda sulle mattonelle rosse.

Mi fermo, immobile, lascio a lui la prima mossa.

Lui alza la testa e dice qualcosa.

– Ehi, – gli rispondo, cercando di suonare convincente. Organizzo il mio futuro immediato: raggiungere il tavolo senza essere sbranata, e recuperare il biglietto.

Il cane mi viene vicino, mi annusa e, forse sedotto dal

mio bagnoschiuma «Lily of the Valley Penhaligon's», mi lecca una mano.

Okay. Cercando d'ignorarlo, mi avvio verso il tavolo, faccio senza incidenti i tre passi necessari, e acchiappo il biglietto.

«Adele, sono successe cose che adesso non ho il tempo di spiegarti, ma in seguito alle quali devo momentaneamente trasferirmi in una località straniera che purtroppo non posso specificare. Mi spiace doverti comunicare che siamo rovinati, che ho dovuto chiudere precipitosamente i nostri conti in banca, e che quindi al momento non hai risorse. Ruggero ti spiegherà il resto. Certo della tua comprensione, ti affido Zarina, il cane di una persona che mi accompagna in questo momento difficile, e che con rammarico non può condurlo con sé. È una femmina di quattro anni, è molto docile, mangia crocchette Tonus tipo Complet. Mi spiace tanto per tutto, un abbraccio sincero, Franco. P.S. Ho preso tutto quello che avevi nel portafoglio, considerando che si tratta comunque di soldi miei».

Lo stile è il suo, senz'altro. Franco è formale in ogni fibra di se stesso, e questo è uno dei motivi per cui l'ho sposato. Sono i fatti che non collimano con la sua personalità. Franco non è il tipo che si rovina e fugge in una località straniera. È il tipo che diventa presidente del Country Club I Roveri di Biella.

Poso il biglietto, guardo Zarina che a sua volta mi guarda speranzosa, forse in attesa di crocchette Tonus tipo Complet.

– Non le ho, – le dico. Zarina affonda il muso fra le zampe. Quanto mancherà prima che decida che una donna dell'apparente peso di cinquantacinque chili è un passabile sostituto delle crocchette?

Intanto cerco di andare avanti come se avessi ancora lunghe prospettive di vita. Vorrei fare due cose, ma quale prima?

L'esistenza del cordless mi evita la fatica di scegliere: acchiappo la caffettiera e il telefono contemporaneamente.

Se c'è qualcosa in questo mondo per cui ho sempre provato un disinteresse sincero e costante sono bambini e cani. Non ne ho mai voluti, né miei né altrui. Su questo con Franco ci siamo subito trovati d'accordo. Bambini e cani uguale limiti, è la semplice equazione della vita. Se per i cani nessuno aveva messo becco, per i bambini c'era il problema del nome dei Molteni, a cui pareva che tutti i suddetti tenessero molto. Ma al primo accenno da parte di mia suocera, ho messo in chiaro che il nome dei Molteni se voleva proseguire nei secoli poteva contare soltanto su Ruggero, il secondogenito. E Ruggero si è riprodotto con larghezza sufficiente a togliere le ansie agli avi: esistono già Samuele Molteni, Aura Molteni e Tito Livio Molteni. E anche sotto il profilo dei cani Ruggero ha largheggiato: chiunque entri nel giardino della sua villa nel centro di Biella può notare un cocker, un setter e un bobtail saltellare fra le azalee.

E fra poco, penso mentre sento la macchina di mio cognato stridere sulla ghiaia davanti a casa, potranno notare anche un labrabull.

– Come sarebbe me ne devo andare? Cosa stai dicendo?

Ruggero mi guarda, e gli leggo negli occhi un solido disprezzo per la mia ottusità. Il problema è che da mezz'ora mi sta dicendo cose che non esistono nel mondo normale, ma solo in quello delle fiction brutte.

– Adele: io ci riprovo, ma tu cerca di sintonizzare le onde. Fai scattare qualcosa lí dentro che io fra un quarto d'ora devo essere in ufficio. Okay? Allora: la fabbrica di Franco è fallita. Kaputt, capito? Se la sono presa le banche.

– Ma il cachemire è un prodotto…

– Fallita, gioia. Niente piú cachemire Ernesto Molteni. Zero lane pregiate. Bye-bye Merinos. Okay? Conti in banca sequestrati. Debiti a bizzeffe. Villa Oleandro venduta. Questa. Girati… ecco, la casa che vedi alle tue spalle, venduta, andata, se la sono comprata i Mongilardi.

– I Mongilardi? I nostri vicini?

– Esatto. Avevano giusto bisogno di una sistemazione per i ragazzi, sai no, Mario Mongilardi si sposa con la figlia dei Colongo. E se la sono comprata, a un buon prezzo, anche. Naturalmente i soldi li abbiamo dati alle banche. Ma non bastavano. Franco ha truffato, okay? Non chiedermi come, che se no facciamo notte. Ha truffato i soci. Quindi era o il carcere o lidi lontani. E ovviamente lui ha scelto lidi lontani. Se l'è filata. Arrivederci e grazie.

– Ma tu...

– Io nix, io fuori, io mi sono tolto dai filati pregiati appena ho capito i chiari di luna. E la mia fabbrica, quella va da Dio, la biancheria intima porca non ha flessioni, ringraziando il Signore.

– E allora perché non l'hai aiutato?

– Perché? Ma per non finire a bagno pure io, darling. Io ho capito che Franco era destinato al macello appena si è messo con la Sveta.

– La cosa?

– Svetlana. Bielorussa. Minsk. Hai presente? E vai oggi a fare affari con l'est, e vai domani a fare affari con l'est, prima o poi la stanga bionda che ti frega la trovi. E lui l'ha trovata, pure con figlio e cane. Tra l'altro, il cane dev'essere quello che sta in piedi sul fornello della tua cucina. Si vede da qui.

– Ma io...

– Ma tu hai sempre avuto sette metri di salame sugli occhi. Vai, vai ai concerti, a teatro, passa il tempo in biblioteca... e intanto tuo marito si trombava la russa. E lei si faceva comprare l'universo: sai che sleppe di gioielli ha messo su quella lí?

– Sleppe?

– Sleppone, tesoro. Una parure di turchesi e zaffiri che gli ho fatto prendere io all'asta dei Quirignoli e...

– Tu? Ma come tu? Sapevi tutto?

– È mio fratello, no?

– E dirmi qualcosa? Avvertirmi? Io cosa faccio, adesso?

– Prendi su le tue cose e te ne vai. E anche in fretta, perché i Mongilardi scalpitano. Ah, tieni presente che ha venduto full optional. Arredi, stoviglie, fino all'ultimo spillo. Sai quella volta che sei andata alle terme con le amiche? Han fatto l'inventario.

Ruggero estrae dalla cartella quella che sembra una fotocopia dei *Promessi sposi* e me la porge.

– Ecco qua. Puoi prendere solo quello che non c'è scritto qui. E ti basterà un trolley da cabina, ah ah ah!

Mi guarda e capisce che non mi sto divertendo quanto lui.

– Scusa. È per sdrammatizzare.

– Ma dove vado? Posso venire da voi? Devo capire...

– Guarda, ne sarei felice ma stiamo imbiancando le camere degli ospiti. Ci sentiamo, però. Guenda ha detto di venire a cena, una sera.

– A cena? Ma porca puttana, Ruggero, io...

Lui alza una mano:

– Mantieni il controllo, Adele. Ne avrai bisogno.

Mentre si allontana, gli urlo:

– Prenditi almeno il cane, bastardo!

Eva, quel pomeriggio

Senza immaginare quanto peso avrebbe avuto nella sua vita quel gesto, Eva allunga una mano verso *Ti amo ma ho finito la ricarica*, settimo volume della serie di *Dany Delizia*, presente in una pila impressionante al centro dell'autogrill di Novara Est, direzione Torino. Guarda la copertina, e lo posa sbuffando. – Quattordici euro. Ma figuriamoci –. Per un attimo ha valutato l'ipotesi di regalarlo a sua nipote Susina, che fa tredici anni a giorni, ma con quattordici euro, se li avesse da spendere, e non li ha, potrebbe comprarle ben di meglio, ad esempio il dvd di *Romeo+Juliet*, un classico.

Se Eva non avesse fatto quel burbero commento ad alta voce, Clotilde Castelli non si sarebbe voltata, e se il libro che aveva in mano non fosse stato uno della serie di *Dany Delizia*, non si sarebbe soffermata a osservarla. Ma stando invece cosí le cose, Clotilde, che ciondola nei pressi di quella stessa pila di libri con un cappuccino in mano, osserva Eva e nota la catenina d'oro con medaglione che porta al collo. È primavera ormai, e il collo di Eva e la zona immediatamente sottostante sono in bella vista, non celati da giacche o sciarpe. Quindi Clotilde vede, impallidisce, e artiglia come una ruspa il braccio di suo figlio Cristiano, che sta bevendo un caffè al banco.

– Cristiano... quella ragazza ha il mio medaglione!

Cristiano Castelli segue lo sguardo di sua madre e vede una ragazza bionda, snella ma compatta, con i capelli legati in una coda corta sulla nuca, e una bambina in braccio.

Anche la bambina è bionda, e sta spiaccicandosi in bocca un muffin alle mele.

– Cosa dici? Che medaglione?

– Il mio medaglione… quello che ho perso… lo sai… che ci tenevo da morire… ce l'ha lei… fattelo ridare subito, presto, prima che se ne vada.

– Come fai a sapere che è il tuo?

– Lo so perché è unico, me l'aveva fatto De Ambrogis su un disegno del povero Memè. È il mio, vai e fattelo ridare.

Se la ragazza non fosse cosí carina, Cristiano tenterebbe di sottrarsi all'imperio, e non è detto che ci riuscirebbe. Invece si stacca la mano di sua madre dal braccio, le dice qualcosa tipo: aspetta un attimo, e va vicino a Eva, che nel frattempo ha trovato una T-shirt della Ferrari in saldo stracciato a cinque e novanta e la sta prendendo in considerazione come regalo perfetto per Susina, che fa il conto alla rovescia dei giorni che mancano alla patente (tanti).

– Scusi… posso parlarle un attimo?

Eva lo guarda: un uomo con i capelli scuri appena mossi, il naso sottile e gli occhi chiari.

– Beh, sí, – dice cordiale, e gli sorride. – Di cosa?

Cristiano sorride a sua volta, e indica il medaglione.

– Di quello.

– Ah ah. Bello, eh?

– Molto. Posso chiederle come ne è venuta in possesso?

E qui l'atmosfera del colloquio cambia irreparabilmente. Se prima Eva era amichevole come un'albicocca, ora assume l'aria guardinga di un muro di cinta.

– No. Non sono fatti suoi.

– Lei avrebbe tutte le ragioni, se non che quel medaglione è molto simile… identico praticamente… a uno che mia madre ha perso tempo fa… e quindi, se non le spiace…

Impaziente e incapace di trattenersi, Clotilde arriva alle spalle del figlio e allunga la solita mano a ruspa verso il medaglione gracchiando:

– È mio, altro che simile, è il mio medaglione. L'ho

perso sulla spiaggia delle Sablettes a Mentone il 24 luglio del 2011.

Lo sguardo di Eva si vela di vetro. Lei quel medaglione lo ha appunto trovato sulla spiaggia delle Sablettes a Mentone il 24 luglio del 2011. Dunque quella donna magra che le sembra di aver già visto da qualche parte ha ragione, il medaglione è suo. Beh, pazienza, peggio per lei. Chi trova tiene, chi perde piange.

– Si sbaglia. L'ho comprato in una gioielleria di Vado Ligure.

Non sa perché le venga da dire proprio Vado Ligure. Avrebbe potuto dire Nocera, o Tarquinia, luoghi lontani.

– Impossibile. Quello è il mio medaglione! Disegno esclusivo! Contiene un ricciolo biondo di Cristiano a due anni!

Lo sguardo di Eva si glassa ulteriormente, perché infatti all'interno del medaglione aveva trovato della roba bionda.

– Cristiano? E chi è?

– Lui! Mio figlio!

– E le sembra forse biondo?

– Da piccolo aveva i capelli d'oro.

– Non so che farci.

– Mamma, – interviene Cristiano con la bella calma che ne maschera la vera natura, – non ti viene in mente un segno, non so, un'incisione che possa permetterci di verificare se il medaglione è veramente il tuo? Non possiamo escludere che De Ambrogis ne abbia prodotti altri uguali, e che uno sia finito in una gioielleria di Vado Ligure.

– Sí! Possiamo escluderlo! Era un oggetto unico! Conservo io stessa lo schizzo originale di Memè! De Ambrogis non avrebbe mai...

Eva aspetta, paziente. Tanto, il medaglione non lo molla.

– Un segno, mamma.

– C'è! Su uno degli otto lati c'è una piccola dentellatura. Mi era caduto e si era ammaccato. Signorina, si tolga il medaglione e controlliamo i lati.

– Ve lo scordate. Io il medaglione non me lo tolgo. È mio.

– Maleducata! Guardi che io sono Clotilde Castelli!

A queste parole, alcuni clienti dell'autogrill particolarmente affezionati ai talk show si voltano a guardare.

Anche Eva riconosce vagamente il nome, ma non pare impressionata.

– Buon per lei. Arrivederci.

E qui inizia ad allontanarsi per raggiungere, dopo un labirintico passaggio fra le specialità regionali, l'uscita, ma Cristiano le artiglia un braccio con una mano altrettanto a ruspa di quella di sua madre.

– Cosa ne dice, coinvolgiamo la polizia?

E indica due agenti in uniforme che stanno consumando un caffè macchiato e intanto parlano del Milan.

Eva riflette molto velocemente. Approfittando della momentanea distrazione di madre e figlio, intenti a rimirare i poliziotti che il destino ha cosí benevolmente disseminato sulla loro strada, caccia con violenza in bocca alla bambina quel che resta del muffin. La bambina, che fino a quel momento ha mantenuto un contegno di esemplare indifferenza e sobrietà, inizia a strillare, tossire, piangere e perder muco dal naso.

– Scusate un attimo, arrivo subito.

Eva si precipita verso il bagno con la pupa urlante in braccio e Clotilde Castelli grida al figlio: – Seguila!

Ma Cristiano tira la linea. – No, mamma, non la seguo nel bagno delle donne. Tanto da lí non va da nessuna parte.

E qui Cristiano si sbaglia. Perché Eva, invece di entrare in bagno, sale al piano di sopra dell'autogrill di Novara Est che, per chi non lo conoscesse, fa ponte sull'autostrada, e ha un'entrata in direzione Milano e una in direzione Torino.

Correndo velocissima scende dall'altra parte, esce a razzo e passa in fulminea rassegna le auto parcheggiate. Quando vede una Panda rossa con dentro una donna che si soffia il naso non esita, spalanca la portiera e sedendosi dice:

– Andiamo... dài... parti!

Adele. Zarina

La conversazione stenta sempre un po', fra donna in fuga e donna costretta a darle un passaggio. L'amicizia non nasce spontanea. Nel nostro caso, però, un sostanziale aiuto a rompere il ghiaccio arriva dagli altri due passeggeri, quando la bambina piccolissima comincia ad agitarsi e sbavare, e pronuncia con chiarezza la parola: – Kia.

– Kia? – dice la bandita bionda che mi ha sequestrata, e si gira a controllare, trovandosi in effetti a pochi centimetri dal naso un grosso Kia leggermente ansante.

– Ahh... non lo avevo visto.

– E infatti è come se non ci fosse, – preciso. – Un cane normale avrebbe abbaiato quando ti sei introdotta a forza nella macchina.

– A forza? E quale forza? Ho soltanto fatto in fretta. È tuo?

– Per carità. Lo sto portando in un canile.

– Perché?

– Perché è dell'amante di mio marito.

Risposte di questo genere hanno un certo impatto, lo so, e infatti la delinquente mi guarda con nuovo interesse.

– E perché ce lo porti tu, al canile?

– Se proprio t'interessa saperlo, perché lui e lei, mio marito e l'amante, in questo momento sono emigrati all'estero per evitare di essere arrestati.

– Terroristi?

– Lei non so, lui imprenditore fraudolento.

– E il cane?

– Me l'hanno mollato.
– Poveraccio. I canili sono brutti posti.
– Peccato.
– Sei di Milano?
– Che domanda è?
– Beh, quelli di Milano sono tipi da portare al canile un povero cane che non gli ha fatto niente di male.
– Ah sí? Allora li stimo.

La sequestratrice non dice niente, ma io non sono il tipo che accetta i rimproveri silenziosi, sta fresca questa qui, e quindi rincaro:

– Comunque io sono di Biella. Sto andando in un canile vicino a Rho.
– E perché? Non ci sono canili, a Biella?

Potrei risponderle che al canile di Rho ci lavora una mia amica veterinaria che mi ha promesso di cercare di piazzare Zarina a qualcuno. Infatti devo ammettere che non ho niente contro questo cane. Non mi piace, come tutti gli altri senza eccezione, ma non lo trovo antipatico. Una volta regolarmente nutrito di Tonus Complet, se ne sta tranquillo, direi tristemente tranquillo, solo va spesso vicino alla porta e mugola. Immagino rimpianga quella brutta stronza della sua padrona bielorussa. In questi giorni mi è capitato perfino di provare una bizzarra sensazione di conforto in sua presenza. Ma adesso basta. È ora di liberarmene. Ci mancava solo un cane, in questo sfacelo. Ma perché dovrei dire tutto questo a colei che mi ha appena sequestrata, e di cui tra l'altro non so neanche il nome? Non è il caso di scambiarci confidenze da ginnasiali. E comunque le domande dovrei farle io.

– Guarda che casomai le domande dovrei farle io.
– Forza. Falle.
– Chi sei? Da cosa scappi?
– Sono Eva, e scappo da una signora che vuole il mio medaglione –. Eva indica un ottagono d'oro che porta appeso al collo. – Questo.

– E perché lo vuole?
– Perché è suo. Ma questo non le dà nessun diritto.
– Ah no?
– No. Senti la storia, e dopo mi dici.

Jezebel

Il 24 luglio del 2011 Eva era estremamente incinta, in pratica una partoriente. Si trovava a Mentone perché lí abitava suo padre, solerte cameriere dello stabilimento balneare Papagayo. Non avendo una casa, né un lavoro, né qualcuno con cui condividere l'imminente nascita, presentarsi al Papagayo con il suo zainetto le era sembrata una buona idea. Non cosí a suo padre, che al momento viveva con una signora antillana e non voleva figlie di quel diametro in casa. Perciò il 24 luglio Eva era seduta sulla spiaggia Les Sablettes, e rifletteva sulla prossima mossa. Non aveva una madre, né una sorella. Aveva un fratello, ma era sposato con una che non la sopportava. Le sue amiche erano sparse ai quattro angoli del mondo, e solo alcune fra loro erano in grado di ragionare. Aveva in tasca venti euro, e in banca neanche un conto scoperto. Quindi? Quindi passava e ripassava le mani nella sabbia, lasciava che il sole la scaldasse, e aspettava. E mentre passava e ripassava le mani nella sabbia, le sue dita si erano impigliate in una catenella.

Eva non aveva mai avuto una cosa qualsiasi d'oro. Era incantata. Un medaglione d'oro col marchio! Appeso a una catenina d'oro col marchio! Un oggetto bello e prezioso che adesso era suo! Un medaglione con incise sopra tante stelline, e che si apriva!

Delizia e potenza di quel ritrovamento, sensazione di svolta nella vita, ribaltamento di fortuna, ruota del destino. D'ora in poi ogni cosa per lei sarebbe cambiata.

Aveva appena finito di metterselo al collo che erano iniziate le doglie.

Adele. Bette Davis e Henry Fonda

– E Jezebel è nata sei ore dopo. Sana come un biscotto, bella come una bambolina.

– Si chiama Jezebel?

– Sí, come il film.

– Che film?

– Un film che ho visto una volta. Un film vecchissimo, in bianco e nero, con quell'attrice con gli occhi sporgenti. La protagonista si chiamava Julie, era fidanzata con un tipo alto, sai, quell'attore che faceva sempre il cowboy, non so il nome, ma lui la pianta perché lei va a un ballo con un vestito rosso. Pazzesco. Siamo nell'Ottocento, fai conto. In America, nel Sud, come *Via col Vento*. Le ragazze ai balli ci potevano andare solo vestite di bianco, e lei ci va col vestito rosso, uno scandalo bestiale e lui la pianta. Ma quello che veramente mi ha fatto impazzire di questo film è un'altra cosa: che è tutto basato sull'effetto choc di lei che arriva al ballo con il vestito rosso, e il film è in bianco e nero. Capisci!

Eva si dimena sul sedile, e io cerco di capire.

– Quindi noi il vestito lo vediamo...

– Nerastro. Grigione. Cioè tutto dipende da un vestito rosso che gli spettatori non vedono. L'ho trovata una cosa fantastica, davano tutta la responsabilità di crederci a noi pubblico, e per questo ho chiamato Jezz cosí. Per ricordarmi di crederci.

– Ma lei sarà poi contenta, di chiamarsi Jezebel?

– Sí. Sarà contenta.

– E davvero il medaglione ti ha portato fortuna? La tua vita è cambiata?

– Certo. Te l'ho detto, è nata Jezz, tutta a posto. Adesso ho lei.

– E?

– Come, «e»?

– Lei e cosa? Un fidanzato? Un lavoro? Soldi?

– Poco di tutto. Niente fidanzato, lavoretti come capita, soldi da viverci stretta. Una casa non so per quanto.

– Quindi il medaglione non ha fatto miracoli.

– Miracoli no, però, insomma, è una cosa bellissima d'oro, è mio, e non lo darò mai, mai, a quella tizia. Se lo può scordare, croce sopra.

– Però è suo. Anche per lei avrà un valore. Se dentro c'erano i capelli di suo figlio.

– Mica è morto. Era lí, e non è neanche piú biondo. Un conto se era morto, allora, magari...

– Le ridavi il medaglione?

– No, le ridavo i capelli. Li ho conservati. Non me la sono sentita di buttarli.

La disapprovo silenziosamente. Non sono mica scema: la disapprovazione silenziosa è il massimo che ci si può permettere con la gente che ti sequestra. E se questa qui è pazza, e alla minima critica tira fuori un coltello e mi sgozza sprizzando sangue fino a Balocco?

Eva si gira a controllare la bambina, che ha sistemato dietro col cane, e mi comunica che lei e Zarina dormono. Poi aggiunge inutilmente:

– Sei proprio sicura di scaricarlo, il cane?

– Se mio marito ha potuto mollare me, vendere la nostra casa, prosciugare il conto in banca e scappare con una bielorussa, capirai quanto ci metto io a mollare un cane.

– Mmm... ecco perché piangevi.

– No. Ho pianto già, per quello. È passato un mese ormai. Adesso piangevo perché mia mamma non mi vuole piú ospitare, e non so dove andare.

– E perché non vuole?

– Perché è un po' tipo tuo padre. Ha la sua vita, le partite a burraco. Sai no. Le gare di ballo. Non ha la camera per gli ospiti, dormivo nel tinello, e insomma non mi ha cacciata ma si capiva che contava i minuti. Ha sopportato per un mese me e il cane, ora basta.

– Vai da un'amica.

– Guarda, Eva, le amiche sono una risorsa molto sopravvalutata. Tutte carine, solidali, però mi hanno detto sí, vieni pure per qualche giorno... Manco una che mi abbia detto: vieni, Adele, vieni pure, stai quanto vuoi, anche per sempre. Io non ho voglia di andare per qualche giorno, ho bisogno di una casa, e invece mi tocca prendere una camera in albergo, e io odio gli alberghi, e non ho soldi per pagarli, e dovrò pure cercarmi un lavoro, ma non so fare niente!

Urlo e scuoto il volante, mi rendo conto che mi comporto come un'ossessa, e che la macchina oscilla in modo preoccupante verso i Tir nelle altre corsie, ma ormai sono preda della mia realtà e c'è poco da stare allegri.

– Quindi l'ultima cosa al mondo che mi ci voleva era una pazza che mi sequestrasse!

– Forse invece era la prima che ti ci voleva. Ho un'idea. Esci al prossimo casello e torna verso Torino. Devo riprendere il furgone di mio fratello all'autogrill di Novara.

– Non se ne parla. Se vuoi ti faccio scendere, ma io vado a Rho.

Desanka Maksimović

Clotilde Castelli non si rassegna facilmente alla scomparsa della ragazza col medaglione. Rassegnarsi facilmente non fa parte delle sue competenze, e continua a strillare e strepitare per tutta l'A4 fino a Torino, città dove abita, da cui si era allontanata per andare a Milano a comprare dei tappeti, e in cui è attesa per le diciannove, quando dovrà partecipare a un evento culturale.

La Castelli è infatti la piú insigne studiosa italiana di poetesse serbe, una specializzazione che le lascia parecchio tempo libero, e quindi ha potuto affiancare con successo a questa qualifica quella di opinionista televisiva chiamata di gran carriera ogni volta che c'è da protestare per qualche oltraggio alla donna. Se la vede alla pari con l'ex soubrette Giga Erbas, e spesso si ritrovano una accanto all'altra sulle poltroncine dei talk show, intente a tuonare contro qualche dilapidazione mediatica del patrimonio femminista. Ma per quanto le piaccia tuonare in tv, Clotilde preferisce di gran lunga bramire versi serbi di fronte all'attonito pubblico del Circolo dei Lettori, e proprio questo si prepara a fare in serata, quando avrà il piacere d'inaugurare la manifestazione «Poesia e Make-up: da Ofelia al Waterproof» con un reading di Desanka Maksimović, poetessa nata a Rabrovica nel 1898 e defunta a Belgrado nel 1993. Le poetesse serbe sono note per avere la mano pesante in fatto di trucco, seconde soltanto alle poetesse ucraine, e questo le rende grandi protagoniste della settimana di studi promossa dal Circolo dei Lettori, la meritevole istituzione culturale torinese. Per sette giorni, poeti e modelle, estetiste ed esteti, filosofi e stilisti, saranno impegnati in incontri, sfilate, dibattiti, reading e dimostrazioni pratiche volte ad approfondire il rapporto fra poesia e make-up, due strade per eludere la banalità dell'essere.

Ma adesso, mentre suo figlio sfreccia tra Chivasso Est e Chivasso Ovest, Clotilde considera con insolita apprensione l'imminente impegno.

– Ora guarda, Cristiano, non so neanche se ce la farò a pronunciare una parola. Il mio medaglione! Ma come hai potuto fartela sfuggire?

Cristiano gliel'ha già spiegato sedici volte mal contate e non ne può piú. Imboccando corso Giulio Cesare, cerca di calcolare quanti minuti mancano prima di poter scaricare sua madre e andarsene a casa.

– Dovevo lasciarti tornare in treno.

– E come lo portavo un tappeto cinese cinque per quattro?

– Te lo facevi spedire.

– Ecco! Sei il solito egoista! Sei come tuo fratello! – Pausa di riflessione. – Sei peggio di tuo fratello!

Questo lo meraviglia, perché «peggio di tuo fratello» non gliel'ha mai detto. Il massimo di disapprovazione è sempre stato rappresentato dal «come». Essere «come» Tommy è il punto piú basso, per sua madre. Piú giú si apre l'inferno. Cristiano la guarda di sbieco approfittando del semaforo rosso: è paonazza. Purché non le venga un ictus. Già si vede, a spingerla sulla carrozzina lungo i filari di pomodori. Meglio cercare di calmarla.

– Mamma, non ti preoccupare. Te la ritrovo, la signorina.

– E come?

– Ho la targa della sua macchina.

Nel parapiglia seguito alla fuga di Eva, Cristiano ha trovato insperato aiuto in un ficcanaso che gli ha spontaneamente fornito informazioni: lui e la giovane ladra con figlia erano arrivati contemporaneamente all'autogrill, e lei era scesa da un vecchio Fiorino blu, ancora parcheggiato lí. Fotografare col cellulare la targa del Fiorino è stata la scelta piú ovvia.

– Allora datti da fare, mi raccomando. Non deve passarla liscia. Appena sai qualcosa, telefoniamo a Gaspare.

Clotilde Castelli ha sempre qualcuno a cui telefonare, qualcuno che lei chiama per nome. Un Prefetto, un Vescovo, un Regista, una Scrittrice, un Primario, una Stilista. Gaspare è un sottosegretario agli Interni. Troppo, per una bionda con bambina, pensa Cristiano, intravedendo con sollievo il bel palazzo barocco che segna la fine del suo viaggio.

Adele. Zia Teresa

Prima di sposarmi vivevo a Torino, zona Campidoglio, dove ancora abita mia madre. Corso Belgio lo conosco poco, e non sapevo che da queste parti esistessero casette indipendenti infilate fra i palazzi, in certe vie disordinate tra il corso e il Po. Una è via Varallo, dove al numero civico 18 sta appunto un cancello che si apre su un cortiletto e su una casa gialla, piccolina, leggermente scrostata.

Parcheggiamo lí davanti, io la mia Panda ed Eva il suo Fiorino.

– È di mia zia Teresa, – mi spiega lei, mentre dà via libera a cane e bambina. – Si è fatta oblata brigidina, e vive in convento, però non è sicura di volerci restare per sempre, già una volta era entrata in un Ashram a Pune e poi non ne ha potuto piú. Perciò la casa non ha voluto venderla o affittarla, e l'ha data a me. Posso tenerla finché lei non decide di tornare.

– E se decide?

Eva alza le spalle, e comincio a farmi l'idea che questa sia la sua risposta automatica a qualsiasi domanda richieda previsioni oltre le ventiquattro ore.

Entriamo, e mi trovo di fronte una stanza neanche troppo grande in cui sono impacchettati ingresso, cucina e soggiorno. Al primo sguardo, l'arredamento sembra composto esclusivamente da coperte patchwork e teiere.

– A mia zia piace lavorare all'uncinetto, e fa collezione di teiere.

– Eh sí.

Eva mi indica una piccola scala a chiocciola in fondo ai patchwork.

– Vai pure sopra, la tua camera è quella a destra, io accendo la stufa e do da mangiare a Jezz. Per il cane? Hai qualcosa?

– Sí, in macchina ho un sacco da venticinque chili di Tonus Complet. Pensavo di regalarlo al canile.

Il canile, che nostalgia. L'ho visto sfumare fino a scomparire quando Eva mi ha fatto la sua semplice proposta: a casa mia ho una camera in piú, ci puoi stare finché ti pare, basta che appena puoi mi paghi metà delle spese, ma solo se teniamo il cane. L'ho considerata un'accettabile soluzione momentanea. Nel giro di pochi giorni troverò un lavoro, una casa per me, dei soldi, aiuti, porterò il cane al canile e saluterò per sempre la fuorilegge e sua figlia. Devo solo organizzarmi.

Ci si può chiedere come mai io non mi sia organizzata durante il mese che ho passato da mia madre. La risposta è che ho dovuto assorbire il colpo, recuperare quel poco che potevo da casa mia, piangere, parlare con le banche, scoprire che il mio anello di fidanzamento con il diamantone, unico gioiello rimasto, non era piú lui, ma un altro finto che Franco aveva già da tempo sostituito all'originale. E sperare invano che mia madre mi dicesse: «Non preoccuparti tesoro, stai qui per sempre, a te ci penserò io, fino a quando non troverai un altro marito ricco».

Ma non è avvenuto, ed eccomi in via Varallo, ospite di una giovane donna instabile che mi costringe a rimandare il momento in cui vedrò Zarina allontanarsi dietro le sbarre.

Per adesso, la vedo invece saltellare felice con la bambina in questo stupido giardinetto, grande un nientesimo del mio di Biella. Saltellate pure finché dura, cocche.

Vado a vedere questa famosa camera al piano di sopra. Piano, pfui. Come si fa a definire «piani» le microscopiche componenti di questo edificio. Casa mia sí che aveva i piani! Roba imponente, metri quadri a perdifiato, scale a piú rampe, corridoi sopra e sotto, e quella immensa cucina in cui qualcuno che non ero mai io preparava cibi sani, nutrienti e leggeri. E angoli, cuscini, finestre panoramiche...

Anche questa camera ha una finestra. È una delle poche cose che ha: una finestra, un letto, un comodino orribile di quelli marroncini scuri intagliati, uno scaffale con dentro sette numeri di «Selezione dal Reader's Digest», un armadio orribile di quelli marroncini scuri intagliati, una sedia di formica verde chiaro. Scelgo la finestra, e vado a guardare il panorama.

Dà su un garage.

È un'ora dolce del giorno, il sole ha quasi finito il suo turno e scende striando il cielo di porpora. Esattamente due mesi fa a quest'ora guardavo il tramonto dal terrazzino della nostra casa a Santa Margherita, o meglio, da quella che credevo fosse la nostra casa a Santa Margherita mentre in realtà apparteneva già da tempo alla Cassa di Risparmio di Cossato.

Scendo, e trovo che in quelli che a me sono sembrati circa otto minuti Eva ha acceso la stufa di maiolica che sta in un angolo, preparato la tavola, messo Jezz nel seggiolone e ora le sta dando un piatto fumante di qualcosa. Purè? Anche Zarina è entrata, e osserva la scena sdraiata su una coperta patchwork. Eccole lí, tutte contente, tranquille. Le guardo con quello che spero sia uno sguardo truce.

– Ti piace la stanza? Bella, eh? Vuoi un po' di tapioca?

– Grr.

– Senti, io adesso devo correre a riportare il Fiorino a mio fratello se no mi ammazza. Ti spiace dare un occhio a Jezz? Poi quando torno la metto a dormire.

Sento un brivido di gelo percorrermi da capo a piedi e ritorno. Non è che adesso questa si aspetta che io le guardi la bambina? Io non guardo bambini.

– Eva, sei stata gentile e tutto, davvero, ma se mi hai fatta venire per farti da baby-sitter in cambio della stanza, mi spiace ma è impossibile. A me non piacciono i bambini.

– Ah.

Eva non si sbilancia, e continua a ingozzare la cosina. Poi si alza, mette la ciotola nel lavandino, toglie Jezz dal seggiolone e la deposita su, indovinate, una coperta patchwork. Poi mi indica degli involti sul tavolo.

– Lí c'è roba da mangiare. Pane, prosciutto, pomodori. Ci metterò un po', perché per tornare devo prendere il GTT. Accendi la tele, se vuoi. Stasera c'è *L'Ispettore Rosaria*, me lo perdo, che sfiga, ciao.

Intanto ha preso la borsa, le chiavi della macchina, e a livello del «ciao» è già fuori. Io resto sola, in una piccola casa brutta, con un cane e una bambina di un anno e mezzo.

Ferramenta Rubatto

Quando ha recuperato il Fiorino di suo fratello all'autogrill, Eva ha notato subito il biglietto sul parabrezza. Oltre a infilarlo sotto il tergicristallo, lo avevano appiccicato con lo scotch, si vede che volevano proprio essere sicuri che non volasse via. Prima lo ha staccato, sperando che non restassero segni sul finestrino se no Giona non la finiva piú, poi ha letto: «Ho preso il numero di targa, quindi non si illuda, la rintraccerò. Se decide di collaborare, mi chiami al 33970306**. Cristiano Castelli».

– Aspetta e spera, – ha detto Eva ridendo e ha sventolato il foglietto sotto il naso di Jezz. – Figurati... che scemo.

Poi l'ha appallottolato, l'ha buttato in un cestino dell'immondizia e non ci ha pensato piú.

E non ci pensa neanche adesso, mentre svolta nella via principale di Andezeno, piccolo comune sbocciato nelle rigogliose colline che portano da Torino ad Asti. Qui, tra il Caffè dei Tre Scudieri e l'agenzia 4 della Banca Popolare di Chieri, si trova la maestosa Ferramenta Rubatto. Occupa il pian terreno di una bella palazzina anni '20 che vede al primo piano l'abitazione di Giona Fasano e Marisa Rubatto, nonché della loro figlia Susanna, anni quasi tredici, e al secondo quella di Piero e Mariella Rubatto, genitori di Marisa e padroni della ferramenta. Sul retro, la dimora dei Rubatto ha un giardino abbastanza grande e un orto prosperoso, che al momento è al debutto di una stagione lunga e fortunata. In fondo al giardino, un capannone serve da magazzino, e qui Eva trova suo fratello occupato a controllare una cassa piena di miscelatori. Per ingraziarselo, gli dondola davanti al naso le chiavi del Fiorino, ma ci vuol altro, per ingraziarsi Giona.

– Lo sai che ora è?

– Ciao Giona. Ecco qui il tuo furgone, come nuovo. E c'è pure la benzina!

Queste precisazioni dovrebbero strappare un grido di entusiasmo a Giona, visto che l'ultima volta che ha prestato il Fiorino a Eva lo ha riavuto con una fiancata sfregiata e il serbatoio cosí vuoto che avresti potuto buttarci un fiammifero dentro. Ma non glielo strappano, perché sono due ore piene che Marisa lo strema perché Eva non ha ancora portato il furgone, e lui non doveva prestarglielo, e adesso come fanno ad andare a ritirare il boiler del conte Verdugo?

– Già, brava, peccato che due ore fa dovevo andare a prendere il boiler del conte.

– Ho avuto un contrattempo, ma non ti preoccupare, tutto risolto.

– Bene, mi fa piacere per te. A me invece sono ore che Marisa mi fa una testa cosí.

Eva riflette: è il caso di dirgli che è solo colpa sua se si è sposato quella scassatrice fenomenale?

No, non è il caso. Anche perché Giona la sta guardando perplesso.

– E la bambina?

Raramente Giona e Marisa pronunciano il nome di sua figlia. L'unica della famiglia che la chiama è la signora Mariella. «E come sta Jesahel?»

Nessuno si è mai preso la briga di dirle che la figlia di Eva non si chiama come la canzone dei Delirium, tanto meno Eva, che non sa neanche chi siano i Delirium.

– L'ho lasciata a casa. Adesso c'è una signora che vive con noi.

– Una signora?

– Una specie. Giovane, però. Era ricca ma adesso è poverissima, perché suo marito...

Giona la ferma alzando una mano.

– Lascia perdere va'. Meno ne so, delle tue faccende, meglio è. Sei riuscita a combinare qualcosa a Milano? – le chiede poi, contraddicendosi all'istante.

– Sí sí. Ho lavorato nove ore e ho guadagnato sessantacinque euro. Abbiamo spostato trecento yucche.

Giona sospira. Ah, sorella, le direbbe se fosse un uomo che sa parlare, ah sorella, perché a ventotto anni hai una figlia senza padre, e per guadagnarti il pane fai lavori assurdi come spostare yucche? Perché non sei sposata o impiegata, perché non sei stata piú casta, piú accorta, piú pigra, perché non hai fatto come me, che ho sposato Marisa Rubatto e adesso sono il futuro proprietario della Ferramenta Rubatto da cui già comunque traggo il pane e anche un'abbondante dose di companatico? Ah, sorella minore, perché non sei piú come me, e meno come nostra madre che chissà dov'è?

Ma non le dice niente, prende le chiavi del Fiorino e la guarda scendere verso la remota fermata del GTT, senza neanche invitarla a entrare, che se no Marisa chi la sente.

Ed è un peccato, perché appena entra in casa squilla il telefono, e quando risponde una voce bene educata gli dice: – Buonasera, sono Cristiano Castelli. È lei il proprietario del veicolo targato GH2113MC?

Tigrino e Tuki

Mentre Giona si porta il cordless in legnaia per poter parlare con Cristiano senza farsi sentire da Marisa, mentre Eva aspetta paziente il GTT in un mondo sempre piú buio e stellato, mentre Adele guarda Jezz addormentata sul tappeto e la lascia lí perché se comincia a metterla a letto lei è la fine, Clotilde Castelli ha terminato il suo recital di poesie serbe e sta cenando insieme all'avvocato Marta Biancone Gambursier nel noto ristorante Tigrino e Tuki, sulle rive del Po. Sono sedute a un tavolo appartato, e Clotilde Castelli racconta con eccessiva foga quello che le è capitato lungo la Torino-Milano.

– Non so se ti rendi conto, Marta! La catenina col medaglione del povero Memè! L'aveva fatto fare apposta per me da De Ambrogis!

– E chi è De Ambrogis?

– Come chi è De Ambrogis! Il maestro orafo di Valenza… ha disegnato anche le fedi di Grace Kelly.

Marta Biancone si sforza di comprendere il dramma della sua amica, ma le riesce difficile.

È una signora piccola, minuta, sui cinquanta, non bellissima, ma con un suo qualcosa. Avvocato divorzista, è famosa per la dedizione alla causa femminile, e per come riduce alla disperazione i mariti delle sue clienti. L'uomo che vuole lasciare la moglie, ma anche l'uomo che non vorrebbe, ha imparato a temere questo nome come la peste nera: dove passa Marta Biancone restano solo fumanti rovine. Clotilde Castelli però non ha mai divorziato, e anche se conosce Marta Biancone da una trentina d'anni, non è mai stata sua cliente.

Marta la guarda, e continua a non capire: al momento, la sua amica sfoggia almeno tre diversi braccialetti, tutti d'oro. Orecchini di lapislazzuli. Un filo di perle bianche e uno di perle nere. Un anello di Van Cleef & Arpels. Troppa roba, e male assortita, ma Clotilde ha sempre amato l'accumulo. Cosa gliene può importare di un modesto medaglione?

– Scusa, Clotilde, ma a quanto posso vedere i gioielli non ti mancano. Non ti fissare su quello.

– Tu non capisci. Era l'unica cosa che mi era rimasta di Memè.

Marta cerca di ricordare Memè, uno dei tanti cretini con cui si accompagnavano quando erano sposate da poco e già molto trascurate dai mariti: quello di Clotilde lavorava troppo, e quello di Marta la tradiva già parecchio. Quindi Marta e Clotilde andavano a ballare e giocavano a pallavolo con altri uomini vacui e sfaccendati. Sí, c'era anche un certo Manfredi detto Memè.

– Perché, scusa, è morto? E che ti importa di lui? Non era quel maestro di tennis?

– Era quel maestro di tennis, certo. Ed è stato anche... oh Marta, non te l'ho mai detto, ma è stato anche l'unico vero grande amore della mia vita.

Anche senza contare il gentile Luigi Castelli, a Marta risulta che nella sua vita Clotilde abbia avuto almeno tre grandi amori prima del matrimonio e quattro dopo, e nessuno di loro era Memè.

– Scusa, e Giorgio? Alessandro? E Gianmarco? Benedetto? E coso, quello di Venezia... Giacomo?

Clotilde spezza un grissino, e ne agita il moncone in segno di spregio. – Ma sí, sí, chi vai a tirar fuori... tutti belli, tutti buoni, ma Memè è stato... ecco, posso soltanto prendere a prestito un verso della grande Duska Vrhovac... «Nella medesima pelle all'infinito moltiplicata la sete di vita e la brama di morte».

– Ovvero?

Clotilde alza le spalle.

– Marta, io ti adoro, lo sai, ma farti capire la poesia è impossibile. Memè è stato unico, per me. E di lui mi è rimasto solo quel ciondolo.

– Ma è morto?

– Sai che non ne ho idea? È andato a Istanbul con una pittrice di Savigliano, e non è tornato piú.

Con prudenza, Marta inghiotte una crocchetta di riso. Clotilde continua, sempre spezzettando grissini.

– Lo tenevo al collo sempre, perché mi parlava di lui. E poi un paio d'anni fa l'ho perso su una spiaggia di Mentone. Credo che sia stato lo spirito stesso della poesia, il cosiddetto *dux poesiae*, a farmelo ritrovare. E ora lo voglio assolutamente, e non mi fermerò finché non lo avrò recuperato.

Marta pensa: ci siamo, le è partita la scheggia. Clotilde Castelli nata Boggio ha sempre avuto questa inquietante particolarità, che ogni tanto si fissa su qualcosa, e non la smuovi. In particolare, questa donna ha uno smisurato senso del possesso. È la tipica persona che da bambina strillava fino a strozzarsi con le sue stesse tonsille se qualche ignaro coetaneo cercava di prenderle un gioco. Crescendo era solo peggiorata, come quasi tutti i bambini. Marta Biancone, però, è un'illuminista per vocazione e per cultura, e non smette di provarci.

– Lascia perdere, Clo. Non la ritroverai mai, quella ragazza. Ricordalo nel tuo cuore coso... Memè.

Clotilde si serve ancora con abbondanza dal vassoio degli «Antipasti Antipatici», la specialità di Tigrino e Tuki, e sbuffa.

– Oh no, ti sbagli. Puoi stare certa, certissima, che la ritroverò, e le strapperò quella catenina dal collo, e le darò anche un paio di ceffoni ben distribuiti, a quella ladra –. Poi cambia repentinamente argomento, come a volte fanno gli psicopatici. – E Umberto? Come sta? È un po' che non lo vedo.

Marta sospira, la sua risposta standard, ormai da anni, quando qualcuno le chiede di Umberto.

Adele. L'amica di Guenda

I cibi che mi ha lasciato Eva sul tavolo sono strani. Il prosciutto è contenuto in una vaschetta di plastica, ha molto grasso e dei riflessi traslucidi viola su tutta la superficie. Sembra radioattivo, e comunque non una cosa che si possa mangiare. Il pane è duro, e i legumi in scatola hanno marche che non conosco. Anche il formaggio è sconosciuto: assomiglia al Philadelphia ma non lo è, è una sottomarca da discount. Ho fame, ma non mi fido di niente, tranne che dei pomodori, grossi e rossi. Allora prendo un piatto in un armadio dove non ce ne sono due uguali, ci metto il pane duro spezzettato, lo bagno velocemente nell'acqua, aggiungo i pomodori a fettine, trovo dell'olio, cerco di non guardare con cosa è fatto e ne metto un po' sui pomodori, insieme a sale e a qualcosa che sta in una bottiglia dell'aceto.

Mentre assaporo la mia panzanella senza cetrioli e senza cipolle, la bambina e il cane si svegliano e vengono a guardarmi. Hanno già mangiato tutt'e due, perciò non capisco cosa vogliano.

– Ba ta ba ba ba ma ma, – dice la bambina. Immagino mi chieda informazioni sul conto di sua madre.

– Mamma è uscita, torna subito, non ti preoccupare.

Lei è arrivata fin lí gattonando ma decide di prodursi in un esercizio acrobatico. Si afferra alla gamba del tavolo e cerca di alzarsi. Ovviamente non ci riesce, ho notato già che i bambini piccoli ricadono sempre, trascinati dal peso del pannolino. Non vorrei mai che si mettesse a piangere, un suono insopportabile, perciò la alzo con cautela e la prendo in braccio. Lei è soddisfatta del risultato ottenuto, e subito allunga la mano, quella stessa mano che il cane ha leccato con gusto per tutto il pomeriggio, e prende un pezzo di pane e pomodoro dal mio piatto.

Mi guardo intorno. Vedo, appeso accanto alla stufa, un poster che difficilmente è rimasto qui dai tempi della zia oblata brigidina. Sono I Rovaniemi Cowboys, un gruppo rock finlandese di cui ho sentito parlare. Quindi Eva ha gusti musicali. Bene. Ed ecco anche quello che stavo cercando. Il televisore è effettivamente in un angolo della stanza. Lo accendo e smanetto col telecomando finché non trovo Rai YoYo. Rai YoYo è, spero, ciò che sostituirà la madre di questa bambina fino al suo ritorno. La poso davanti all'apparecchio: sullo schermo c'è un essere peloso viola che la mette di buonumore. Noto che il televisore è su uno scaffale basso che contiene un reperto del recente passato: un videoregistratore. Videoregistratore... ma pensa. Quant'è che non ne vedevo uno. L'oggetto è circondato dal suo indispensabile complemento: videocassette. Ce ne sono decine, e mi basta uno sguardo per capire che sono quasi tutte di film vecchissimi, molti in bianco e nero. *Lo specchio scuro... Beau Geste... La scala a chiocciola... Gigi... Seguendo la flotta...* e *La figlia del vento*, quello a cui Jezz deve il suo sciagurato nome. Mica male. Ma non posso neanche guardarmene uno, perché lo schermo è occupato dai cosi pelosi viola.

Zarina si stiracchia e fissa la porta. Le apro. Lei attraversa il cortile senza interesse e si ferma davanti al cancello.

Per me può restarci fino al giorno dell'Apocalisse, io fuori a passeggio non la porto.

Mi squilla il cellulare. È mio cognato Ruggero. Da quella mattina in cui è venuto a distruggere la mia vita, mi ha chiamata tre volte, sempre per ordinarmi di firmare fogli funesti che peggioravano la mia situazione. A occhio, mi pare che non possano portarmi via piú niente, non ho altro se non ciò che è contenuto nei tre scatoloni che ho lasciato a casa di mia madre, e le due valigie che ho messo nella camera di sopra. Se non sono interessati alle mie scarpe e ai braccialetti di scoubidou, non so proprio cos'altro possano volere. Quindi rispondo: magari Ruggero ci ha ripensato, e vuole offrirmi aiuto, ospitalità, conforto. O anche solo prendersi il cane.

– Ehilà cognatina, come te la passi?

Nessuno ha mai visto Ruggero triste, depresso o se non altro calmo. E neanche si droga: tutta questa sfinente euforia perpetua se la procura con i Mental, quelli nella scatola verde. Da quando non mi è piú semplicemente antipatico, bensí lo odio, aspetto con entusiasmo il giorno in cui tutta quella liquirizia gli farà salire la pressione fino a esplodere.

– Indovina.

– Eh su... un po' di savoir-faire non guasterebbe. Stai allegra, ho buone notizie.

– Sarebbe la prima volta.

– Non certo per colpa mia. Dovresti anzi ringraziarmi, per tutta la briga che mi sto prendendo per te.

– Non mi ero accorta che tu ti stessi prendendo nessuna briga.

– E invece sí. Ti ho trovato un lavoro. Contenta?

– Un lavoro? Ma io non so fare niente. Veramente niente, non è un modo di dire, non posso neanche fare la colf, non mi ricordo di aver lavato un bicchiere negli ultimi dieci anni.

– Guenda dice che sai stirare. Ti ha visto farlo, una volta.

Ruggero mi ha trovato un posto come stiratrice. Una conoscente di Guenda ha perso la sua, e quella disutile di mia cognata ha avuto la brillante idea di proporle me.

– Naturalmente non le ha detto che sei sua cognata. Mi raccomando, non presentarti come Molteni.

– Non lo facevo neanche prima. Adele Brandi va benissimo.

– Contenta tu. Guenda le ha detto che sei una sua ex compagna di scuola in difficoltà economiche. Non amica, mi raccomando. Devi dire che non vi vedete da anni, e tu ti sei rivolta a lei cercando aiuto...

– Allora devo essere una perfetta idiota.

– Senti cocca, la back story non interessa. Guenda ha detto che ti conosce, e che sei una persona onesta in miseria. Stop. Dovresti solo ringraziarla.

– Lo farò, la prima volta che mi invita per un bel weekend servita e riverita a casa vostra.

– Avremo occasione. A ogni modo, chiama la signora e senti cosa ti propone. Paga, orari. Tu dove sei adesso?

– A Torino.

– Da tua madre?

– No. Da un'amica.

– Ah, vedi che l'hai trovato, un posto dove stare? L'ho sempre detto io, che il diavolo non è mai cosí brutto come i coperchi. E va proprio bene, perché questa amica di Guenda è di Torino pure lei. Ce l'hai da scrivere?

Quando arriva Eva, Jezebel si è addormentata. La solleva senza svegliarla, e sparisce con lei al piano di sopra. Dopo un po' scende, e cerca il guinzaglio di Zarina.

– Che fai?

– La porto fuori.

– E perché? C'è il giardinetto.

– Guarda che i cani hanno bisogno di correre, muoversi. Non è che puoi tenere un cane cosí grosso in un cortile con due aiuole. Vado sul Lungo Po.

E va sul Lungo Po. Non l'ho ancora vista ferma per piú di cinque minuti. Mi stanco soltanto a starle vicino.

Non so quando torna, perché io nel frattempo sono salita nella mia splendida camera, ho trovato in un armadio una coperta patchwork, mi sono messa a letto e mi sono addormentata. E vorrei solo dire, per completare l'abominio della mia situazione, che ho dovuto usare un bagno non mio, in cui c'è anche, e molto pieno, un cestino per i Pampers. Dickens era un dilettante in confronto a chi ha forgiato il mio destino.

Dany Delizia

– Il fratello non me l'ha voluto dire, mamma. Ha promesso che mi avrebbe fatto chiamare da lei.

– E figuriamoci se quella ti chiama. No, bisogna andare da questo tizio, e fargli capire che se non collabora finiscono tutti in galera.

– Tutti chi?

– Lui e tutta la famiglia. Per furto, ricettazione, complicità, concorso esterno. Sono delinquenti dal primo all'ultimo, se non ti dicono dov'è quella borseggiatrice che si tengono nascosta in casa.

Terminata la cena con Marta, e rientrata nel suo appartamento a dir poco sontuoso in piazza Maria Teresa, invece di accendere Sky e guardarsi un bel Cinema Passion, Clotilde Castelli ha subito telefonato al figlio per sapere se aveva industriosamente impegnato le ore serali e pre serali a rintracciare il medaglione.

Cristiano ha pazienza, con sua mamma. Ha pazienza perché il padre è defunto per sfinimento già da un po', e suo fratello Tommaso se n'è andato da anni in circostanze sgradevoli e da allora si è fatto vedere sei o sette volte in tutto; ha pazienza perché conosce la propria natura, e sa che per lui non ci sono vie di mezzo: se non avesse pazienza, abbandonerebbe sua madre in una piazzuola dell'autostrada, o calpesterebbe i suoi cappelli sputandoci sopra.

E ha pazienza perché a un certo punto della sua giovinezza, piú o meno quando Tommaso se n'è andato, ha deciso di comportarsi da bravo figlio, e da allora si occupa dell'azienda paterna con interminabile devozione. Non soltanto dedica al Consorzio Agricolo Castelli ogni istante della sua giornata di lavoro, gli dedica anche la maggior parte degli istanti della sua vita da uomo libero, e infatti eccolo qui, a sera inoltrata, solo, senza donne o amici al fianco, completamente immerso nella lettura di *Pomodori strani e sconosciuti* di Amerigo Cossoli. Lettura che lo avvince, e a cui si è strappato con fatica per ascoltare le nenie di sua madre.

Cristiano ha pazienza, dunque, ma per oggi gli sembra di averla sfruttata a fondo. Per fortuna, l'esistenza del telefono consente d'interrompere le comunicazioni, un'interruzione senza immediato ritorno.

– Senti, ovviamente non ho detto a quel tipo che volevo rintracciare sua sorella per farmi restituire la tua catenina. Gli ho detto che gliel'ho vista al collo all'autogrill, e voglio comprargliela. Vedrai che mi richiama.

– Cosa? Comprarla? Ma figurati. Quel medaglione è mio, e non ho nessuna intenzione di pagarlo.

E ci mancherebbe. Clotilde spende e spande volentieri, i soldi le escono dalle mani come raggi di luce dalle dita di una santa, non fa nulla per trattenerli, ma le scoccia tantissimo spendere per qualcosa che non le torni di vantaggio. Si tratta di una forma sofisticata di avarizia. E dato che quel medaglione è suo, legalmente suo, non vede perché dovrebbe sprecare per ricomprarlo dei soldi che sarebbero invece utilissimi per acquistare una nuova borsetta di Prada.

– E difatti lo ricompro io.

– Te lo proibisco!

– Okay, mamma, allora quando mi richiama le do appuntamento e mi presento con il commissario Montalbano che l'arresta. Adesso però ti saluto, perché è tardi, e domattina devo alzarmi presto. Buonanotte, ci sentiamo se ho novità.

– No, scusa, sentimi bene...

Clotilde continua a parlare, ma Cristiano ha già riattaccato, e ripreso in mano il libro: «E ora soffermiamoci sul Cherokee Purple, che molti considerano la bistecca fra i pomodori, con le sue ampie spalle costolute. Caratteristici sono i semi interiori, rallegrati da un involucro di gel di un verde brillante».

Quando si rende conto che suo figlio non è piú in linea, l'esasperata e delusa madre riattacca, e sentendosi troppo nervosa per dormire, ricorre alla sua droga preferita, al suo calmante, al suo eccitante, al suo piacere segreto, alla sua gioia privata e personale di cui nessuno è al corrente. Sí, è arrivato il momento piú atteso della giornata, quello in cui può finalmente tirar fuori dal cassetto chiuso a chiave l'ultimo libro di Dany Delizia, proprio quel *Ti amo ma ho finito la ricarica* che Eva aveva preso e poi saggiamente mollato. Lei, Clotilde, non aveva certo aspettato di trovarlo in un autogrill. Lo aveva comprato subito, appena uscito, a Fiumicino, dopo essersi guardata intorno per assicurarsi che nei paraggi non ci fosse nessuno che la conoscesse. Mai, per nessun motivo al mondo, questa donna di grande cultura e impegno sociale vorrebbe farsi beccare con Dany Delizia in mano, soprattutto visto che in un recente dibattito televisivo a tema «Dany: croce o Delizia» si era scagliata con acuminato sarcasmo contro la letteratura da supermercato che rovina il cervello delle adolescenti proponendo modelli di comportamento aberrante. E proponendoli nella forma di milioni di copie vendute. Ma la vita non è perfetta, e quindi Clotilde in gran segreto è dipendente da quei libri, li ha letti e riletti tutti, e proprio in questo momento sta assaporando il settimo volume della serie. Le basta aprire a pagina 78, dove era arrivata la sera prima, e perfino l'inquietante problema del medaglione rubato si allontana sullo sfondo, mentre in primo piano balza Dany, avvinta al suo Diego:

> Seduta dietro Diego, Dany si teneva stretta a lui mentre il vento le scompigliava i lunghi capelli. Non le importava nulla, in quel momento, dei cigni arrabbiati che si erano lasciati alle spalle, e neanche della festa di compleanno di Pippa, rovinata da quella strega di Zaffiria che aveva sputato su tutti i vassoi di pizzette e salatini. Ora per lei contavano soltanto i muscoli guizzanti sulla schiena di Diego, e il cielo stellato sopra di loro.

«Ahhhhh», pensa inarticolata Clotilde, e con la mano va a cercare sotto il cuscino l'altro suo piccolo segreto, mezzo chilo di nocciolato Coop.

A casa di Giona e Marisa, nessuno legge. Non hanno di queste abitudini. Quando sono a letto, guardano la tele. Stasera però l'interessante trasmissione «Bagni in cui non vorreste mai entrare» è soltanto il sottofondo a una pacata conversazione coniugale.

– Dice che ha visto il medaglione che aveva al collo e vuole comprarlo perché piace tanto a sua madre. Assomiglia a uno che ha perso. Io però non mi sono fidato.

– Non sono fatti nostri, potevi dargli il numero di tua sorella e lasciare che se la veda lei.

– E se è un malintenzionato?

– Faranno amicizia, – grugnisce Marisa, poi torna a dedicare tutta la sua attenzione allo spaventoso bagno di una famiglia texana...

Un'altra che invece di sera legge è l'avvocato Biancone. Quando suo marito Umberto rientra, Marta Biancone è immersa nei *Principî dell'Indagine privata* di Clovis Andersen. Come tutti gli avvocati, sogna degli sviluppi alla Perry Mason, e sta cercando di assimilare le illuminanti lezioni di Andersen, un vero maestro nel campo dell'investigazione.

Di conseguenza, passando davanti alla porta della camera da letto della moglie, Umberto nota il filo di luce filtrante e bussa piano. Invitato a entrare, contempla Marta distesa fra i cuscini, ma la vede leggermente sfocata a causa di un precedente abuso di mojito e maitai.

– Scusa tanto se ti disturbo, ma ci sarebbe un piccolo problema.

Marta Biancone perde un paio di battiti del cuore, ma non di piú. La spaventa solo l'aggettivo «piccolo». Quando Umberto parla di un «piccolo» problema, si tratta sempre di roba fastidiosa, prolungata, che s'insinuerà nelle sue giornate come un virus nei computer che non sono Mac. I problemi non piccoli, tipo «Ho schiantato la macchina contro un faggio protetto dal Wwf» o «Forse ho ucciso un uomo ai Murazzi ma non mi ricordo niente», di solito si risolvono con un enorme sforzo iniziale che poi finisce lí: comprare una macchina nuova, fare una donazione al Wwf, scoprire che l'uomo non è morto ma solo ubriaco. Faticoso ma semplice.

– E cioè?

– Ho perso la macchina.

– La Jaguar?

– Che domande fai, Marta! Certo, la Jaguar, la mia macchina, la Jaguar, quale vuoi che perda, la Ford Taunus del '57 del giardiniere?

– No, io vorrei che tu non perdessi nessuna macchina, ma in particolare, Umberto, vorrei che tu non perdessi un'automobile che è costata centomila euro.

– E credi che io sia contento? L'ho cercata dappertutto. Scomparsa.

– Te l'hanno rubata, in poche parole.

– No, macché. Rubata no. Non mi ricordo dove l'ho parcheggiata. Mi sembrava di averla messa nel parcheggio della discoteca, ma…

– Aspetta un momento –. Eccola, l'occasione di mettere in pratica *I principî dell'Indagine privata* di Clovis Andersen. Marta si tira su piena di energia. – In che locale sei andato?

– Al Supermarket. In via Breglio.

L'avvocato Biancone molto raramente accompagna il marito nelle sue sortite notturne, per una serie di motivi di cui il principale è che lui preferisce sortire da solo per incontrare poi altre signore e soprattutto signorine, ma questo Supermarket Marta se lo ricorda, ci è stata una volta per la festa di compleanno dell'avvocato De Grandis.

– Ma certo! Allora è chiaro, Umberto. L'hai parcheggiata al supermarket.

Umberto la guarda e nei suoi occhi affiora la delusione. Questa donna, sua moglie, oltre a non essere né giovane né bella, sta anche diventando idiota.

– Ti sto dicendo di no. Credevo, ma non c'è.

– Non al Supermarket locale, al supermarket supermarket. Quello di fronte al locale. Il locale si chiama Supermarket perché è di fronte a un supermarket, con un grande parcheggio. Sicuramente ti sei sbagliato e l'hai messa lí.

Umberto si illumina fiocamente. – C'era una grande scritta blu. «Carre».

– Four, – completa trionfante Marta. – Carrefour. Il supermarket. Poi sei entrato in discoteca, ti sei stordito di alcool, e hai fatto confusione.

– Esagerata. Avrò bevuto un paio di mojito.

Parlando, Marta si è alzata, e si sta infilando un maglione sopra la delicata camicia da notte verde acqua. – Forza, andiamo a riprenderla. Non mi fido a lasciarla lí fino a domattina.

Il marito la guarda con rinnovata fiducia e ammirazione. Non è una donna che gli sia mai particolarmente piaciuta, ma sposarla è stata una grande idea. Forse, adesso è il momento giusto per dirle il resto.

Sí, perché con Umberto Gambursier c'è sempre un «resto». È un uomo che raramente dice la verità, e se proprio è costretto, la dice a rate. Trattandosi nella grande maggioranza dei casi di verità sgradevoli, preferisce farle digerire poco alla volta all'interlocutore, abitualmente sua moglie. Inghiottito un bocconcino putrido, è il momento buono per proporne un altro.

Va detto subito, per non doverci tornare sopra, che Umberto Gambursier è un uomo che piace alle donne. Perché? E chi lo sa? Ha una certa prestanza fisica, di quelle non eccezionali ma che restano inalterate negli anni, è molto stupido e abbastanza furbo. Una combinazione letale per una donna intelligente non particolarmente affascinante. Ecco perché sua moglie Marta, dopo venticinque anni di matrimonio, va ancora pazza per lui e in ugual misura ne è esasperata e anche, ogni tanto, lievemente disgustata.

Lui, senza capire granché della complessità di sentimenti che agitano la signora con cui è sposato, sa istintivamente quando è il momento buono per parlare, e cosí, mentre Marta infila sulla camicia da notte anche un paio di pantaloni di cotone beige, Umberto la informa che, prima di parcheggiare al Carrefour, ha incontrato una pattuglia di carabinieri.

Marta si blocca mentre sta tirandosi su la cerniera. Era troppo bello, troppo comodo, troppo facile, se aveva soltanto perso la Jaguar.

– E?

– Mi hanno ritirato la patente.

– Ah. Meno male che avevi bevuto solo un paio di mojito.

– Sai che il mio sangue non assorbe l'alcool.

– Il tuo sangue *è* alcool.

Umberto Gambursier annuisce.

– Se la metti cosí.

Marta sospira. Non dice niente, perché ha già detto tutto in passato e i grandi avvocati non parlano vanamente.

– Quindi domani – riprende Umberto – dovrò chiamare zio.

Zio è l'arcivescovo di Vercelli, monsignor Aymone Gambursier, fratello del padre di Umberto e abilissimo nel far restituire la patente al nipote ogni volta che gliela ritirano, in un tempo che va tra le quarantotto e le settantadue ore.

Marta adesso è vestita e controlla di avere le chiavi della macchina (la sua, che non perde mai), mentre Umberto completa le informazioni inerenti alla serata.

– Il problema è che in questi giorni ho molti impegni. Mi ci vorrebbe un autista. Diciamo fino a venerdí. Sai dove trovarlo, vero?

Manuel De Sisti

Mentre uno dopo l'altro i personaggi di questa storia concludono le loro serate e si preparano a ravvoltolarsi nel sonno, Manuel De Sisti è ancora impegnato nelle ultime propaggini dell'attività lavorativa. Manuel, animatore e pianista da villaggio vacanze, uomo di punta dell'agenzia «Anima!», sta intrattenendo senza entusiasmo ma con professionalità i tiratardi dell'hotel Stella di Mare a Sharm el-Sheikh, cinque stelle e tante colonne doriche. Seduto al piano sull'immensa terrazza vista mare e bordo piscina, Manuel suona e canta tutto quello che gli chiedono, fino a quando anche l'ultima signora assatanata inizia a sbadigliare, e dondola stanca il piede grasso nei sandali dorati. Ed è a questo punto, quando questi ottusi vacanzieri di marzo stanno per abbandonare il pianista al suo destino e riparare finalmente nelle loro camere levigate, che Manuel interrompe l'esecuzione dell'*Amore che mi dai* di Rosario Miraggio, richiesto da una casalinga catanese, e si rivolge al suo zoccolo duro, un manipolo di signore e signorine che ogni sera aspetta che lui finisca sperando di acchiapparlo per la notte.

– Ehi ragazze… lo sapete che per me è l'ultima sera… vero?

– Oooooohhhh!

– Il mio contratto è finito, mi prendo un periodo di meritato riposo prima di spostarmi al Villaggio Valentino di Agadir. Domani sera a questo pianoforte sarà seduto un altro.

– Aaaahhhh!

– Ma non vi dimenticherò. E voi non mi dimenticherete, anche perché a ricordarvi ogni singolo momento di questa bellissima vacanza avrete il nostro cd, *Stellamaris Dance*, con tante canzoni che abbiamo ballato e cantato insieme...

– Eeeeehhhhh!

– Ricordate i momenti piú belli? – e con una certa leggiadria Manuel distilla le note di *Tacco punta*... – *Tacco punta*... una canzone senza senso, ma capace di cementare amicizie eterne... ah! Tacco... punta... tacco... punta... destra destra destra... sinistra sinistra sinistra...

– Síííííí!

– E la cosita? – Manuel accenna un canto sensuale, in cui si parla di una cosita che tutti vogliono e che empieza con la a, poi con la e, con la i, e poi ancora con la o e con la u, fino a quando, come Dio vuole, empieza con la f, e le signore e signorine ridono, intravedendo il momento in cui si arriverà finalmente al punto. Chi accompagnerà Manuel al bungalow, quella sera? La figlia dell'avvocato di Udine? La studentessa di Bologna, unica decente in un gruppo di sei amiche veramente brutte? La moglie di un autore televisivo di Napoli, in vacanza senza marito e con sorella (virtuosa)? Manuel sorride di un mezzo sorriso, solleva da terra la giacca che aveva lasciato cadere con studiata negligenza all'inizio della serata, manda un bacio al gruppetto e si allontana solo. Loro non lo possono sapere, ma per lui è una tradizione non rimorchiare l'ultima sera. Seguito da gridolini, richiami e sospiri, si prepara a tornare in Italia, a casa sua, a Follonica.

Adele. Nokia E75

Cose che ancora possiedo: la mia vecchia Panda, che vale meno del piú piccolo debito di mio marito. Il mio telefono cellulare Nokia E75, che non ho mai voluto sostituire con roba che si tocca sullo schermo. Il mio MacBook bianco. Il mio iPod azzurro, piccolo, di quelli che si sente soltanto la musica, niente foto, niente apparizioni della Vergine Maria. Da questo elenco si capisce che anche quando ero ricca, non ero dispendiosa. Ho sempre pensato che la sobrietà fosse una specie di onesto contrappasso alla scelta di non lavorare e farmi mantenere. In piú, sono frugale di carattere, con qualche eccezione nel campo dei gioielli. I gioielli mi piacciono tantissimo, e molto preziosi. Niente roba di design in acciaio e gomma, per me. Datemi perle, brillanti, turchesi, ametiste, acquamarine, zaffiretti se possibile, almeno un rubino nella vita, uno smeraldo anche piccolo. E li avevo. Ma non li ho piú, punto e basta.

Tutto questo per dire che avendo ancora il telefonino, ho potuto mettere la sveglia alle otto, in modo da presentarmi puntuale alle ore dieci in strada del Nobile, dove risiede questa tizia, Marta Biancone, che ha bisogno di una stiratrice.

La casa è stranamente silenziosa. Il bagno è vuoto, e molto pulito. Dopo la doccia, scendo e trovo che anche il resto della casa è vuoto e molto pulito. Non c'è traccia né di Eva né di Jezz né di Zarina. Mi chiedo dove possano essere andate a quest'ora, e come abbiano fatto ad alzarsi e scomparire senza che io abbia sentito il minimo rumore. Sul tavolo trovo un mazzo di chiavi. Nessun biglietto. Bene. Ultimamente i biglietti sul tavolo di cucina non li posso vedere. In compenso, c'è una caffettiera aperta e pulita, un pacchetto di caffè di marca sconosciuta, una zuccheriera senza coperchio e un pacco di biscotti tedeschi, in cui ne restano ancora sei o sette. Mi piacerebbe molto lasciare tutto lí, uscire in questa fresca mattina di primavera e cercare uno dei molti bar che ingemmano Torino, per fare una colazione di sostegno al primo colloquio di lavoro della mia vita, ma mi basta un'occhiata al contenuto del mio portafoglio per desistere. Dentro ci sono duecento euro, che sono esattamente tutto quello che ho, residuo dei trecento che mi ha dato mia madre quando mi sono presentata da lei completamente depredata. Fine. Se ne voglio altri, devo vendere la macchina. Mia mamma mi ha fatto anche un pieno, ma l'ho sprecato quasi tutto sulla Torino-Milano. Quindi è meglio se dalla Biancone ci vado in pullman, e tengo la benzina per quando me ne andrò da questa casa e dovrò caricare Zarina per poi scaricarla nell'adorato canile.

Lo so, sembra niente, ma per me già capire che pullman devo prendere, dove passa e come arrivarci è un lavoretto. Di solito io vado in macchina, o chiamo un taxi. Sono anni che non prendo un mezzo pubblico in Italia.

Tutte considerazioni inutili. Mi faccio il caffè sconosciuto, mangio i biscotti del discount, accerto ciò che già immaginavo, e cioè che in questa casa delle fate povere non esiste una connessione Wi-Fi, mi chiudo la porta alle spalle e parto alla ricerca fisica e non virtuale di un modo per arrivare in strada del Nobile.

Mentre arranco dalla fermata del 53 verso il cancello del numero 174, mi chiedo se Marta Biancone l'ho mai conosciuta. Di persona, intendo. L'ho sentita nominare un sacco di volte, in genere quando qualche mia amica (puah, altro che amiche) divorziava, e sospirava «Ci vorrebbe la Biancone...» infilzando mazzancolle al ristorante del Country Club I Roveri. Marta Biancone passa sull'uomo che vuole divorziare come un tornado su un agglomerato urbano. Lascia soltanto macerie. «Spolpa» è il termine che piú si avvicina alla sua azione, ma anche «scoperchia» non andrebbe male.

Effettivamente, so stirare. Prima di sposarmi lo facevo, perché ci tenevo ad avere le cose perfette, e mia madre non si è mai curata a fondo di piegoline e arricciature. Dopo sposata naturalmente ho smesso, ma ogni tanto, quando volevo una camicetta sublime, mi dilettavo. Un paio di volte, in un insolito slancio di affetto, ho stirato qualche vestitino di mia nipote Aura. Ma camicie da uomo mai, e neanche tovaglie, lenzuola, tende con i volant. Sarò capace?

Arrivo davanti al cancello, e mi auguro con tutta me stessa e anche qualcosina in piú di soddisfare gli standard di questa famiglia in fatto di stiratrici. Suono al citofono, gracchio: – Adele Brandi, – e mi aprono.

– Venga giú, l'aspetto, – dice una voce.

Vado giú, e dietro una curva del vialetto mi si para davanti una rosea villa settecentesca, e una signora con divisa da governante. Sbircio me stessa al volo nelle vetrate di una limonaia. Per essere assunta come stiratrice, ho messo abitino a fiori e ballerine. Cerco di sembrare una bambina orfana, però di trentadue anni. Speriamo che funzioni.

Marisa Rubatto in Fasano

– Eva, sono io.
– Ehi. Ciao. Che c'è?
– Dove sei?
– Al Mangiapiano. Mi hanno chiamata perché una cameriera ha l'influenza.
– È un ristorante?
– Sí, a San Salvario. Fanno piatti lenti ma buoni. Hai mai mangiato il vitello dei tre giorni?
– No, e neanche lo voglio mangiare. Senti qua, ieri sera ha telefonato un tipo. Uno che hai incontrato in un autogrill.
– Mmm.
– Dice che avevi al collo un medaglione, e vorrebbe comprarlo.
– Perché?
– Perché piace a sua madre. Solo che tu sei andata via, non ho capito bene, insomma, non sapeva come rintracciarti, poi ha recuperato la targa del Fiorino e...
– Ah ah.
– Perché dici «ah ah» con quel tono?
– Niente, vai avanti.
– E insomma ha chiamato me. Voleva il tuo numero di cellulare ma io non gliel'ho dato. E neanche l'indirizzo. Di questi tempi è meglio non fidarsi. Magari è un maniaco. Non credo, perché è Cristiano Castelli del Consorzio Castelli, a Gassino.
– Capirai. Perché secondo te uno che ha un consorzio non può essere un maniaco?

– Può, però è piú strano. Comunque, ne sai niente? Glielo vuoi vendere, il tuo medaglione?

– No. Neanche morta. Se si fa vivo ancora, digli di sparire e lasciar perdere.

– Sicura? Un po' di soldi ti farebbero comodo.

– Sicura. Ti devo lasciare, c'è Jezz che si è svegliata.

– Ma te la sei portata?

– E certo. Dove la lascio? La tipa che vive con noi aveva un colloquio di lavoro. Poi tanto lei è brava, viene con me dappertutto. Come quei cosi australiani.

– I canguri?

– Bravo. Come una cangurina nel marsupio. Ciao ciao.

Giona non si è accorto che silenziosa e scivolosa come la Nemesi, sua moglie Marisa ha ascoltato una buona metà di questa conversazione fingendo di piegare delle tovaglie. Come sempre, Giona è andato a telefonare in un angolo del cortile, ma ci vuole altro per depistare Marisa.

– Chi era? Tua sorella?

– Se già lo sai.

– Allora? Lo vuole vendere o no 'sto medaglione?

– No. Dice che non dobbiamo dare il suo numero a Castelli.

– Strano, però. Potrebbe dirglielo direttamente lei, che non vuole.

– Boh. Sai com'è Eva.

Marisa socchiude gli occhi stile feritoie. Certo che sa com'è Eva. E proprio per questo sente puzza di bruciato.

Cosí, quando un'ora dopo vede vibrare il cellulare del marito, improvvidamente da lui scordato in bagno, in bilico sul cassone dell'acqua, lo acchiappa al volo prima che cada nel gabinetto, e con piacere vede comparire un numero che non conosce.

– Sí?

– Buongiorno. Sono Cristiano Castelli. Posso parlare con il signor Fasano?

Marisa esita un attimo prima di rispondere. Poi decide di adottare lo stile diretto e senza fronzoli della signorina Nikita e altre eroine cinematografiche. Abbassando la voce in modo da sembrare vagamente un'agente segreta, dice:

– Signor Castelli. Io sono la moglie. A me può dirlo, se mia cognata ha combinato qualche casino.

In seguito a questa telefonata, Cristiano Castelli si trova provvisto di indirizzo e numero di telefono di Eva Fasano. Potrà quindi tranquillizzare sua madre, se dovesse ancora stremarlo con 'sto medaglione. Lui spera però che non succeda: basterebbe qualche impegno televisivo, un ciclo di lezioni sulle poetesse serbe nelle università del Maine, una consulenza editoriale per una collana di Reperti del Genio Femminile, e l'opera finissima di De Ambrogis potrebbe continuare a dondolarsi allegramente al collo di quella graziosa fuggitiva con bambina. Altrimenti, toccherà farselo ridare, con le buone o anche con le cattive, perché Cristiano ha pazienza, ma di questa storia del medaglione è stufo, e se per chiuderla fosse necessario far piangere la ragazza, bene, lui farà piangere la ragazza.

Adele. Prinzessin Weich della Von Brurer

Tappezzeria a foglie d'edera, grandi armadi bianchi, profumo di lavanda, finestra aperta su un praticello posteriore infestato di primule. Mi trovo nella lavanderia di casa Biancone, il primo posto dove mi sento vagamente a mio agio da quando sono stata espropriata. Qui la ricchezza trasuda. Qui ogni cosa è, nel suo campo, la piú cara. Dalle tende alle finestre all'ammorbidente per la lavatrice. Non avevo mai visto nessuno usare un ammorbidente tedesco. Quando la governante mi ha mostrato un armadio a sei ripiani tutti traboccanti di roba da stirare («La nostra stiratrice è assente da parecchi giorni»), tanto per darmi un tono e dissimulare lo choc, ho toccato un asciugamano e ho detto una cosa tipo:

– Ah… molto soffice.

Lei ha preso uno degli innumerevoli flaconi posati in ordine di grandezza e gradazione di colore su una mensola foderata con carta fiorentina, e ha detto: – Usiamo il Prinzessin Weich della Von Brurer –. Ho annuito, sentendomi subito molto ridimensionata. Io prima pensavo di essere una donna di grandi possibilità, e mi limitavo al Coccolino.

La governante intanto non finisce di squadrarmi. Non sono mai stata tanto squadrata in tutta la mia vita. Se fanno cosí con una stiratrice, spero per loro che non debbano mai assumere una bambinaia, altrimenti dovranno fare un summit di tre giorni chiusi in un caveau. Mentre aspetto che finisca di percorrermi centimetro per centimetro, prendo una camicetta da donna (il mio punto forte) e chiedo: – Vuole che le faccia vedere come stiro?

La governante sorride, un mero movimento muscolare, e mi indica la piccola centrale nucleare sulla sinistra. Si avvicina, tocca una serie di tasti, poi attendiamo insieme. Quando la macchina comincia a fibrillare, ne afferro il terminale a forma di ferro da stiro, e inizio.

Lavoro con precisione, la camicetta è di cotone, rosa, semplice, immagino sia di qualche sottoposta, non certo dell'avvocato Marta in persona, non vedo né firme né quel tipico segno delle signore torinesi, l'etichetta strappata.

Quando ho finito, la governante esamina la camicetta, poi esegue di nuovo il precedente esercizio muscolare e dice: – Piacere, io mi chiamo Ernesta. Può cominciare subito?

Verrò pagata dieci euro all'ora, e lavorerò tre giorni alla settimana. In questa casa, mi spiega Ernesta, c'è molto da stirare. La signora si cambia anche tre o quattro volte al giorno, il conte spesso la sera si prova varie camicie prima di scegliere quella giusta, gettando poi a terra con un moto di stizza quelle scartate. E poi ci sono le uniformi del personale.

– E va già bene, – dice Ernesta riaccompagnandomi al cancello tre ore dopo, – va già bene che non ci sono i signorini.

Io sarei felice di fare conversazione e saperne un po' di piú sui miei datori di lavoro, ma purtroppo dopo aver stirato per tre ore di fila non sono in grado di muovere neanche la lingua. Perciò annuisco e sospiro, sperando che sia un incoraggiamento sufficiente. Lo è.

– I signorini sono in Australia.

Fantastico. Per quanto mi riguarda, spero che si trovino bene in quella terra che mi dicono tanto gravida di opportunità, e che non tornino mai piú. Prima che Ernesta possa darmi altre informazioni sui signorini, però, veniamo intercettate dall'avvocato Marta Biancone in persona, che scende dalla macchina davanti al cancello, mentre io sto per andarmene. La guardo con occhio professionale e noto con rammarico che indossa una camicetta con jabot.

– Buon giorno avvocato. Lei è la signora Brandi, la nuova stiratrice.

– Ah, certo, la signora che ci manda Guenda. Piacere.

Veramente sarei sua cognata, vorrei dirle. Sangue imparentato col suo. Una parente stretta per la quale dovrebbe farsi in quattro. E invece da quando sono esule in un mondo che non conosco, da Guenda ho ricevuto una telefonata frettolosa e alcune vaghe promesse. Ma so per esperienza che a noi signore benestanti i guai del personale domestico interessano pochissimo, e quindi sorrido senza commentare, una cosa in cui, modestamente, sono sempre stata bravissima.

Marta Biancone la dea del Tribunale mi stringe la mano, poi riflette un istante e mi chiede: – Senta... avrei bisogno di un autista per un paio di giorni. Ha qualcuno da consigliarmi?

– Non vedo perché no. Tu hai la patente. Almeno spero, visto che giravi con un furgone.

Eva finalmente ha l'aria stanca. Noto con una certa soddisfazione che non sembra piú Ebe, la coppiera degli Dei, o l'Aurora dalle rosee dita, e invece presenta occhiaie, e un pallore diffuso. È arrivata a casa alle sette con Jezebel addormentata in braccio e Zarina al guinzaglio, dopo aver lavorato circa dodici ore in un ristorante. Io ero in camera mia, stesa sul letto a leggere parte del mio bottino. Infatti oggi mi è capitata una cosa strana e meravigliosa, ben piú meravigliosa dei primi trenta euro che mi sono guadagnata in vita mia. Quando sono uscita da Villa Gambursier, mentre andavo in direzione della fermata dell'autobus, ho visto un contenitore giallo della raccolta carta messo fuori con larghissimo anticipo rispetto alla raccolta dell'indomani, o con larghissimo ritardo rispetto alla raccolta dell'oggi. A ogni modo, era pieno, e presentava l'aspetto incantevole della raccolta carta dei ricchi: una gran pila di riviste patinate, e quasi nuove. Ah, delizia, delizia: «Elle» e «Marie

Claire», «Vanity Fair» e «Gioia» e «Donna Moderna» e perfino «Vogue»... tutta roba che al momento, e chissà per quanto, non posso comprare neanche a rate. Senza esitare, ho preso tutte quelle che sono riuscita a trasportare, e adesso le ho qui, in camera, una piccola felicità imprevista. Sto sfogliando il supplemento sulla casa di «D», quando sento la porta che si apre. Ed è mentre Eva si libera di tutti i suoi involti, ovvero bambina, cane e tanto buon cibo che le hanno regalato al ristorante, che le comunico le mie novità. Primo, ho un lavoro.

Eva riflette: – Tre ore al giorno per tre giorni a dieci euro fa trecentosessanta euro al mese. Mica male.

Non le rispondo neanche. Mica male cosa, che prima trecentosessanta euro al mese li spendevo solo dal giornalaio, per comprare quello che oggi ho rubato dalla spazzatura.

Passo direttamente alla novità numero due, e cioè che anche lei ha un lavoro, anche se temporaneo...

– Cercano un autista per due giorni. Danno quindici euro all'ora.

Eva spacchetta i cibi. Mmmm. Vitel tonné. Insalata di carciofi e grana. Lasagne verdi. Bocconcini di merluzzo con patate. Bunet.

– Grazie, caspita, sei davvero gentile, però perché non lo fai tu?

– Scherzi. Io odio guidare. E poi per me è già troppo stirare tre volte alla settimana. Non voglio abituarmi a lavorare, perché conto di smettere il piú presto possibile.

– E come farai?

– Non lo so. Troverò qualcun altro da sposare. Adesso non ci penso.

– Di solito quando cercano un autista non intendono una ragazza.

– Beh, in questo caso lei non può rifiutare. È un avvocato seriamente femminista, se discrimina la sbatto sui giornali. Le ho chiesto se aveva qualcosa in contrario al fatto che l'autista fosse una donna, e lei ha dovuto dire di no.

Osservo inorridita Eva che prende il vitel tonné e lo mette sotto il rubinetto. Lava accuratamente le fettine di carne, le asciuga con uno strofinaccio, poi le affetta finissime con un coltello, le schiaccia insieme alle patate prelevate dai bocconcini di merluzzo, e infila il tutto a cucchiate in bocca a Jezebel.

– Ayup, – dice Jezebel, leccandosi i baffi. Mi sembra una bambina acritica nei confronti del cibo. Butta giú tutto quello che sua madre le mette in bocca.

– E Jezz? Quando lavori come fai? La lasci a qualcuno? Va al nido?

– Viene con me.

– In questo caso, te lo scordi. Non puoi fare l'autista a un conte con una bambina in macchina.

– Vedremo.

Per la prima volta da quando la mia vita è andata in frantumi, mi prende un vago senso di curiosità. Da giorni vivo con questa ragazza, e cosa so di lei? Che ha una figlia, che ha rubato un medaglione a una tizia, e che non è mai stanca.

– Eva, quanti anni hai?

– Ventotto.

– Ma… non so… sei andata a scuola? Avresti un mestiere tuo?

Eva scuote la testa. – No. Ho fatto la scuola da estetista per un anno, poi quando ci hanno messe a fare lo stage ho scorticato una signora con la ceretta per i peli superflui del viso.

– Mmm… e questo ti ha stroncato la carriera.

– In quel ramo, sí.

– Beh, io sono peggio di te. Ho una laurea in Lettere.

– Ahhh! Come la mia prof delle medie.

Eh sí, che curiosa coincidenza. Mi risparmio di risponderle.

– Ti aspettano alle nove domattina.

– Domattina non posso. Lavoro al cimitero.

– In che senso? Scavi tombe?

– Davanti al cimitero, non proprio dentro. Devo sostituire l'aiutante di una fioraia.

Eccolo! Ecco il lavoro giusto per me, quello che si adatta perfettamente al mio stato d'animo attuale: sostituire la fioraia di un cimitero. Se piovesse anche, sarebbe il massimo.

– Ci vado io. Mi piace sostituire fioraie.

– L'hai già fatto?

– Solo nei miei sogni.

Stazione Termini

Arrivando dall'Egitto, si fa tappa a Roma. Chi abita in un qualunque punto dell'Italia Centrale, ed è questo il caso di Manuel De Sisti, scende dall'aereo a Fiumicino, poi va a Termini e lí prende un treno che lo porterà a casa. Manuel non sempre procede direttamente. A volte si ferma un po' a Roma, da questa o da quella. Sono sei anni che fa l'animatore, e sono sei anni che si porta a letto le clienti dei villaggi, andando a coprire ogni regione, e forse addirittura ogni provincia, e tanti, tanti comuni di questa bella Italia in cui viviamo. A differenza di altri, però, lui genera un sentimento costante nel tempo, perciò tutte, anche a distanza di anni, se possono lo accolgono a braccia apertissime. Se non c'è un marito, se c'è ma è via, se il fidanzato è distratto, se non è fidanzata, se trova una buona scusa o semplicemente decide di sparire per due giorni senza dare spiegazioni, la donna italiana non dice di no a Manuel De Sisti.

Questa volta, però, Manuel punta dritto su Termini. Il soggiorno a Sharm è stato talmente sovrabbondante di contributi femminili che prova una leggera sensazione di eccesso, come capita a volte dopo una lunga sequenza di antipasti piemontesi. E sarà forse per questa analogia che gli è venuta in mente, sarà perché la vita non è una linea retta ma una serie di cerchi concentrici, sarà quel che sarà, ma quando arriva a Termini, e va alla biglietteria, invece di fare il biglietto per Follonica Manuel lo fa per Torino Porta Nuova.

Prendi e Taci

Un grande avvocato in grado di presentare con noncuranza e a getto continuo parcelle da decine di migliaia di euro deve possedere intuito, colpo d'occhio e rapidità di scelta. Il grande avvocato non si gingilla oscillando da un piede all'altro perché non sa che cosa fare. Il grande avvocato vede, capisce, sa, decide.

È per questo che quando Marta Biancone si trova davanti l'aspirante autista Eva Fasano, nota quasi subito il medaglione che porta al collo: ottagonale, delicatamente sbalzato, corrisponde in maniera stucchevole a quello descritto a cena da Clotilde Castelli.

Quello che le è stato sottratto in autogrill da una ragazza bionda con...

– Ha figli, lei?

Eva sta fornendo succinte e menzognere informazioni sui suoi successi come autista, ed è presa un po' alla sprovvista dalla domanda. Tende l'orecchio, temendo che Jezz, affidata a un giardiniere intento a piantare bulbi estivi attorno al laghetto artificiale dei Biancone, abbia urlato. Ma Jezz non urla mai, e infatti tutto tace, tranne qualche auto che sfreccia sulle strade della collina.

– Sí. Una bambina.

– Età?

– Diciotto mesi.

Marta Biancone esulta interiormente. Ci siamo. Eva Fasano attende guardinga, pronta alla domanda: «E chi le tiene sua figlia mentre lavora?» Ma la domanda non arriva, perché Marta è troppo impegnata a cambiare radicalmente idea. Se prima dubitava molto che una ragazzetta di cinquanta chili scarsi fosse l'autista adatta a suo marito, adesso invece le sorride e le tende la mano.

– Benissimo. Penso che lei sia la persona giusta per noi. Le spiace se le scatto una foto col cellulare? Tengo un archivio del personale.

Eva annuisce, e si mette docilmente in posa. Marta le fa un piano americano in cui si veda bene la collanina. Poi le sorride ancora, per buona misura.

– Allora può cominciare subito, se crede. Mio marito deve andare nel Roero per una gara di polo.

Eva non commenta, non avendo la minima idea né di cosa sia il polo né di dove sia il Roero. A occhio, le sembra comunque che sia in Piemonte. Annuisce, e segue l'infaticabile Ernesta, che la conduce verso il garage.

– È pratica di Jaguar? – le chiede Ernesta, ritenendolo improbabile.

– Vediamo, – risponde Eva.

Rimasta sola, Marta traffica un attimo col cellulare, e poi se ne va verso la sua macchina. Se son rose, fioriranno.

Marzo è un gran mese per le aziende agricole, e il Consorzio Castelli non fa eccezione. In marzo la roba spunta, e poi cresce senza tirarla tanto in lungo. Marzo è solo l'inizio, e da lí in poi è tutto un faticare a testa bassa, per staccare i prodotti dalla terra e inviarli ai clienti. Il Consorzio Castelli è un'azienda moderna, col sito, di quelle che fanno la consegna a domicilio. Il cliente si abbona, e una volta alla settimana, di mattina presto o prestissimo, riceve uno scatolone misterioso. Il Consorzio Castelli manda quello che gli pare: ha i campi pieni di biete? E manda le biete. Ha fatto fuori una bella quantità di polli ruspanti? E ficca nello scatolone il pollo ruspante ben ben morto e spiumato. Sí, volendo si può ordinare ciò che si preferisce, ma la maggior parte dei clienti compensa la dolorosa scoperta, avvenuta molti anni prima, che Babbo Natale non esiste, scegliendo il Prendi e Taci, ovvero uno scatolone a prezzo fisso e con dentro quel che c'è c'è. Ogni settimana è Natale, per loro. Si trovano davanti alla porta di casa il pacco, non sanno chi l'abbia lasciato lí né quando, lo portano dentro e, ancora con il pigiamino addosso, lo aprono: oh! Che stupore delizioso! Le stesse cose che comprate al supermercato sono una noia grande, sempre le uova, sempre le pere, sempre i biscotti di riso, se trovate nello Scatolone Castelli diventano stuzzicanti e deliziose. Adesso lo fanno in tanti, il servizio che ti prendi quello che ti mandano, ma il primo è stato proprio Cristiano Castelli, l'uomo che ha trasformato in giocattoli il cavolo rosso, la salsiccia e la toma di montagna.

Cristiano Castelli, anni trentasette, fisicamente di quelli esili, sfuggenti, aria da artista, mani da contadino. Avrebbe potuto fare altro, se suo padre non fosse troppo presto defunto e suo fratello non se ne fosse andato in una notte di stelle cadenti? Forse sí: ogni tanto gli balenano nel cervello immagini di una vita diversa, lontana dai pomodori, una vita in cui progettare i Lego, ad esempio, e creare quei piccoli capolavori dell'eleganza contemporanea. Ah, essere lui l'autore della «Nave dei pirati», e percorrere il mondo assaporando il quieto orgoglio dell'artista minore ma universale!

Ma sono baleni, e non rimpianti: già che ha deciso di mandare avanti l'azienda agricola, lo fa senza mezzi termini. Lo fa a termini piú che interi, e scava, semina, sceglie, progetta, inventa, tutto un turbinio d'iniziative che hanno portato la Castelli al top dei top delle aziende agricole. Insomma, è evidente che Cristiano Castelli non ha tanto tempo per attività collaterali, ed è per questo che ora è desolato, e rimpiange amaramente di aver risposto al cellulare nonostante abbia chiaramente visto la scritta MAMMA sul display. Eppure lo sa, che quando vede quella scritta dovrebbe scagliare il telefonino lontano e ignorare la fuga di Bach che ne costituisce la suadente suoneria. E invece ogni volta risponde, perché non si sa mai, forse la mamma lo chiama semisepolta da un vecchio flipper che un Tir le ha rovesciato addosso per sbaglio mentre lo portava a un collezionista.

«Cristiano... addio... sto morendo...»

«Di cosa?»

«Flipper...»

E invece quello che sente questa volta è:

– Cristiano, la Biancone mi ha mandato una foto della ladra! È lei! È a casa sua! Dobbiamo andarci immediatamente!

La stupidità è un ostacolo allo stupore, e cosí Umberto Gambursier non si meraviglia che l'autista scovato da Marta, e al momento in attesa accanto alla Jaguar, con la portiera aperta, sia una femmina. Nota la cosa, e pensa confusamente che ormai le femmine fanno tutti i lavori, del resto già gli pareva di aver notato dei taxi guidati da donne. Anzi...

Per sicurezza, controlla che quella sia effettivamente la sua Jaguar e non un taxi. Magari Marta non ha trovato autisti, e gli ha chiamato un taxi. Non gli sembra, però. Non c'è quel cartellino nero con scritto taxi, e la macchina è proprio la sua. Quindi questa è un'autista femmina. Rassicurato, Umberto fa un vago cenno di saluto alla ragazza, e si accomoda nel sedile posteriore. E adesso sí che si meraviglia. Sobbalza, addirittura. Perché perfino un uomo stupido non può non trovare strano il fatto che sul sedile posteriore, accanto a lui, ci sia una bambina che dorme.

Dopo aver sobbalzato, picchietta sulla spalla dell'autista, che nel frattempo sta toccando parecchi tasti a casaccio. Eva è sveglia, e ha già guidato di tutto, ma piú nel ramo furgoni, camion e perfino Tir, che Jaguar tanto sofisticate da essere praticamente dei computer con le ruote.

– Sí, scusi, adesso parto. Credo sia... – Ecco, qualcosa inizia a ronzare, ed Eva si rilassa. – Sí, okay, ci siamo.

– No, si figuri, piú che altro volevo chiederle di questa... cioè, qui ci sarebbe una bambina e...

– Ah sí. È mia figlia. Jezebel, diciotto mesi.
– Viene con noi?
– Lei sta sempre con me.
– Ah... e mia moglie? Cosa ha detto?
– Non ne abbiamo parlato.

Senza neanche rendersene conto, Eva ha una notevole capacità d'inaridire le conversazioni. Umberto cerca qualcosa da replicare, e piú o meno sa anche cosa dovrebbe essere, tipo: non posso mica andare in giro con una bambina! E se piange? E se deve mangiare? Ma alla sola idea d'intraprendere questa discussione, si sente profondamente stanco. No, casomai inizierà a rimostrare quando la bambina darà spago alla sua natura di bambina mettendosi a strillare. Soddisfatto di questa decisione, si addormenta.

Eva intanto guida questa bella macchina, una Jaguar XJ Ultimate, e cerca il Roero. Si è informata dal giardiniere, e adesso sa che deve andare a Bra, e poi da lí a Sommariva Perno, dove si svolgerà la gara di polo. Ha imparato che il polo è un golf a cavallo. Pensa che da quando ha conosciuto Adele, la qualità della sua vita è molto migliorata. Ora lei e Jezz viaggiano in Jaguar, dirette a una gara di polo. Se le vedesse Jorma! O anche Tuomo, o Eliel!

Contenta e soddisfatta com'è, non immagina certo che in quello stesso momento Clotilde stia cercando di persuadere suo figlio Cristiano ad abbandonare le nascenti carote e le prime gemme sui peschi per accompagnarla a casa Gambursier a tenderle un agguato.

Cristiano, però, non sembra incline ad accontentare la madre.

– Dovrei partire da qui per venire a Torino? Vacci tu, scusa, prendi un taxi.
– Dobbiamo andare insieme. È necessaria la presenza di un uomo.
– Non io. Chiama Gaspare o qualcun altro dei tuoi amichetti.
– Ah certo! Certo! Una donna ha due figli dico due,

adulti e in buona salute, e quando ha bisogno di un uomo accanto è costretta a chiamare estranei!

– Allora chiama Tommaso. Io non posso.

– Tommaso? Ma se non so neanche dov'è, Tommaso! Sono tre mesi che non lo sento! Per quello che ne so se l'è inghiottito il triangolo delle Bermude e puoi stare sicuro che pure lui lo troverà indigesto e lo sputerà fuori!

– Per «lui» intendi il triangolo delle Bermude?

– Basta con queste inutili spiritosaggini! Vieni subito a Torino che andiamo dalla Biancone! Dice di passare dal suo studio, di non andare direttamente a casa che deve darci delle istruzioni.

– Ottimo. Vai a fartele dare. E ricordati, mamma, non alzare le mani.

– Certo che le alzo! Dovevo alzarle già nell'autogrill, che se le piantavo cinque centimetri di unghie nelle cornee vedi che non scappava! Con certa gente è inutile fare discorsi...

– Ti vorrei solo rammentare che quando hai spaccato un nevino in testa alla mia baby-sitter abbiamo dovuto scomodare mari e monti per non farti finire in galera.

– Cosa ne sai tu che avevi tre anni.

– Se ne parla ancora, nel mondo delle baby-sitter.

– Senti Cristiano, non farmi perdere tempo con le baby-sitter. Non vuoi venire? Peggio per te. Io vado. Devo braccarla oggi! Cosa ne sai che quella domani torna? Magari già stasera è troppo tardi! Cosa ne sai che non ha dato una botta in testa al povero Umberto ed è scappata con la Jaguar? Bisogna prenderla finché è calda! Sada znam da emocije su uvek gladne!

Cristiano capisce con dolorosa certezza che a quella storia non c'è fine. Se il destino, con tutto il daffare che ha, ha piazzato quella ragazza in casa della migliore amica di sua madre, è evidente che ha delle cose in mente. È inutile andargli contro, come sarebbe inutile tentare di ricacciare indietro la maturazione di un fagiolino.

– Mamma. Calmati. Possiamo braccarla quando ci pare. So come si chiama e ho il suo indirizzo.

– E ALLORA COSA ASPETTI! PERCHÉ NON CI SEI ANCORA ANDATO!!!

– Perché non mi sembrava il caso.

– Perché sei un deficiente, un idiota, sei un cretino come e piú di tuo fratello, siete un branco d'inutili imbecilli e se lo sapevo mi facevo sterilizzare a quattordici anni!

– Beh, ormai è tardi, non pensarci piú. Rilassati, e stai tranquilla, stasera ho una cena a Torino, e dopo provo a passare dalla ragazza, va bene?

Clotilde annuisce, ma all'interno del suo cuore, per poco spazio che ci sia in quell'organo minuscolo, sta montando una vigorosa ondata di sfiducia. Questa donna non crede che suo figlio riuscirà a riportarle la refurtiva. Non lo vede motivato. Pur avendo l'indirizzo da un pezzo, non ha mosso un dito, e ha continuato a cincischiare con zucchini, melanzane o cos'è che coltiva in quella fangosa azienda.

Sola davanti alla bella vetrata del suo salotto, che dà proprio sulla statua di Guglielmo Pepe, Clotilde riattacca e finalmente dà libero sfogo alla sua rabbia. Abbiamo già detto che è una donna di grande temperamento, che detesta perdere ciò che ritiene suo, e che è ostinata di natura. Ma tutto questo basta a spiegare la crisi isterica a cui si abbandona? Eccola che prende a calci oggetti Kartell disposti nel soggiorno, che scaraventa libri di poetesse serbe ai quattro angoli della stanza, che dice parole bruttissime tipo quelle che i rapper mettono nelle loro canzoni, e alza al cielo un'invocazione veramente sincera e sentita, come raramente accade a chi prova sentimenti profondi solo nei confronti di se stesso: – Ahhh Dio pigro che non muovi un dito per me! Porca miseria ladra e bastarda! Galera mignotta!

È ormai evidente per tutti che Clotilde deve avere un motivo particolare per rivolere a tutti i costi il ciondolo di Memè. In effetti sí, ha un motivo particolare. E la sua determinazione a riaverlo è perfettamente giustificata, come scopriremo tra un po', non subito però.

Subito, ci limitiamo a seguire Clotilde Castelli che esce di casa e si avvia verso via del Carmine, dove ha sede lo studio di Marta Biancone, al numero 2. È disposta ad ascoltare la strategia che le consiglierà l'amica, anche se continua a pensare che se Cristiano l'avesse accompagnata e avesse dato un pugno alla ragazza stendendola quel tanto da permetterle di slacciarle dal collo la catenina, ecco, quella sarebbe stata una soluzione rapida, semplice e ragionevole.

In via del Carmine 2, al terzo piano, nel suo eclatante studio arredato con mobili Carlo X, tutti autentici, spiazzati però da opere d'arte modernissime e da soprammobili di D-Mail, Marta Biancone la pensa assai diversamente. Secondo lei, con la signorina Fasano ci vuole grande prudenza.

– Io ti conosco, Clotilde. Tu sei una donna primordiale, e tutte quelle poetesse serbe non hanno giovato al tuo equilibrio. Non ci metteresti né a né ba a passare dalla parte del torto. Ricordati che non hai nessuna prova che quel medaglione sia tuo.

– Ce l'ho! So che ha un lato ammaccato! Se ha un lato ammaccato è mio.

– Non è probante. Ha le tue cifre?

– No... – e qui osserviamo palpabilmente Clotilde Castelli esitare. C'è qualcosa che potrebbe dire, e che non dice. Se ne accorge Marta Biancone? Di certo, la sta osservando attentamente.

– Clotilde? C'è qualcosa che non devo sapere riguardo a quel medaglione?

– Sí.

– E quindi?

– E quindi niente. È mio, e lo rivoglio.

– A maggior ragione, se c'è sotto qualcosa che preferisci non dirmi, ti consiglio di recuperarlo pacificamente, mediante transazione. Fattelo vendere. Vuoi che tratti io con lei?

– No. Stasera ci proverà Cristiano. Ma io sento che non otterrà niente. Quella è ostinata come una capra. Guarda, Marta, io sono sicura che se potessi rifilarle un paio di sberloni, e strapparle la catenina dal collo...

– Non se ne parla. Ti ricordi di quando hai spaccato un nevino in testa alla baby-sitter di Cristiano, e lei...

Clotilde si alza e batte violentemente a terra la sua scarpa dalla suola rossa.

– E basta con questa baby-sitter! Per una, una sola volta che ho spaccato un nevino in testa a una baby-sitter, sembra che io sia Arkan la Tigre dei Balcani in persona.

Anche Marta si alza. È un gioco che si può giocare in due. – Fai come ti ho detto, Clotilde: transazione, non coercizione. E ora, se vuoi scusarmi, ho un divorzio fra un quarto d'ora.

Nella fretta di uscire entrambe per prima, s'incastrano sulla porta dello studio. Lasciamole lí, in qualche modo la risolveranno.

Lucio Battisti

Quando ha preso il biglietto per Torino invece che per Follonica, Manuel De Sisti non ha ceduto a un capriccio, ma ha compiuto un'azione tutto sommato abbastanza logica, visto che Torino è la città in cui è nato. Dopo anni che non ci mette piede, ecco che adesso, scendendo dal treno, ce lo mette. Prima uno, poi l'altro, e quando tutti e due i piedi sono scesi dal vagone Standard del Frecciarossa, Manuel s'incammina, con la sacca sulla spalla. La sacca, proprio: non un trolley, non uno zaino, ma una vecchia sacca di pelle anni '50 che fa molto Jack Kerouac (casualmente, perché Manuel non ha mai sentito questo nome, e se l'ha sentito non l'ha riconosciuto) e che costituisce l'unico tipo di bagaglio che porta con sé, che debba stare via tre giorni o tre mesi.

Tranquillo, con la tranquillità dei felini che hanno appena mangiato e bene, Manuel attraversa piazza Carlo Felice, imbocca via Roma, gira in via Cavour, e prosegue fino alla bella piazza Cavour, dove attraversa i giardini di marzo senza farci caso, perché troppo giovane e troppo distratto per pensare a Battisti. Oltre i giardini, imbocca il breve tratto di via Cavour che arriva in piazza Maria Teresa, e qui si ferma, davanti alla statua di Guglielmo Pepe.

Manuel posa la sacca e si accende una sigaretta. È sera, una sera ancora precoce, com'è giusto che sia all'inizio della primavera, e lui è stanco. Che dirà Clotilde quando lui suonerà alla sua porta senza essersi fatto precedere da una misera telefonata, da un sms, qualcosa?

Ma lui non suonerà mai alla porta di Clotilde, e neanche al suo citofono, contrassegnato peraltro dalla misteriosa sigla SW2, perché mentre fuma e si chiede se andare prima a farsi una birretta al bar di fronte, un taxi si ferma davanti a lui, e ne scende proprio lei, Clotilde Castelli, che riesce a essere nervosa anche pagando il tassista, e che quando lo vede, dopo un attimo di esitazione perché effettivamente lui ha i capelli molto piú lunghi dell'ultima volta, lancia una specie di gridolino e agita le braccia a cui è appesa una borsetta gialla.

– Aaaah! È il Cielo che ti manda!!

Adele. Rovaniemi Cowboys

Una cosa bella di quando sostituisci fioraie al cimitero è che alla fine della giornata ti danno quaranta euro. Ecco perché tanti lavorano, mi dico in un impeto di entusiasmo mentre li spendo tutti per comprare finalmente cibo con nomi che conosco. Perché li pagano. Perché prendono dei soldi con cui si comprano Pan di Stelle e maionese. Mi sbianco tutta come le fidanzate di Saffo, all'idea che stasera potrò finalmente strafogarmi di pane e maionese, uno dei miei pasti preferiti. Quindi arrivo a casa tutta allegra, e trovo le mie coinquiline radunate sul tappeto davanti alla stufa. Stanno giocando con un grosso bambolotto con pochissimi capelli duri e senza un occhio.

– Guarda che bello! – Eva lo agita verso di me, effondendo un profluvio di puzza di candeggina. – L'ho trovato nell'immondizia a Bra!

Poso i sacchetti, inorridita. Ma che gente siamo, che viviamo di cose pescate nell'immondizia? Riviste, bambole, tra un po' tireremo su anche i gambi dei finocchi. Fulmino Eva.

– Brava. Fai giocare tua figlia con un bambolotto guercio trovato nella spazzatura.

– Guercio?

– Senza un occhio.

– L'ho lavato con la varechina, è pulitissimo. E se aveva tutt'e due gli occhi non lo buttavano.

Jezz lo prende per un piede e se lo tira sulla testa, tutta felice. Mentre vuoto i sacchetti, chiedo a Eva notizie della giornata come autista.

– Ah, non è un lavoro difficile. L'ho portato alla sua gara, poi l'ho aspettato, poi siamo andati a Bra a comprare dei formaggi, poi l'ho riportato a casa.

– Che tipo è?

– Sembra un attore americano anni '50, sai, Rock Hudson, Dean Martin, bello se ti piace quel genere lí. Non parla quasi mai.

– Uno scemo.

– Mah, forse. E tu, con la fioraia?

– Benissimo. Ho fatto mazzolini, ho preso i soldi. Quaranta euro! E li ho spesi tutti al Carrefour!

Eva si alza e viene a vedere. Non crede ai suoi occhi, e non è un'incredulità contenta.

– Scusa, hai speso quaranta euro per due sacchetti di roba?

È la prima volta che la vedo agitata, se non si tiene conto di quando mi ha sequestrato la macchina. Solleva i Ringo, la maionese Kraft, le omonime sottilette, il prosciutto da ventisei euro al chilo, le lasagne pronte Findus, il salamino Citterio e tutto il resto, e mi fissa con autentica ira.

– Lo sai che al discount con quaranta euro fai la spesa per una settimana? Compri roba uguale a questa, uguale precisa tranne che non fa pubblicità, e la paghi meno di meno! Okay, prima eri ricca, ma adesso è diverso. Se no finisci come quel film, in cui lei...

Alt. Non cominciamo con i film. È arrivato il momento di tracciare delle linee di demarcazione fra il suo stile di vita e il mio. Inspiro, e attacco.

– Ascoltami bene, Eva. Come ti ho già detto, io ti sono davvero grata dell'ospitalità che mi offri. Cercherò di approfittarne per il piú breve periodo possibile. Ma finché ne approfitto, per favore, ricordati che io sono diversa da te. Che vivo in un modo diverso, mangio in un modo diverso e compro cose diverse. Preferisco patire la fame che mangiare certe scatolette che ho trovato nella tua dispensa. Quindi patti chiari. Io con i miei soldi compro quello che mi pare. Quando non avrò piú soldi, mi inventerò qualcosa. Nel frattempo, puoi mangiare la mia roba, visto che sono due giorni che io mangio la tua. Ma non mettere il naso nelle mie scelte.

Okay, forse non c'era bisogno di fare tipo un discorso elettorale di Obama, però veramente non ne posso piú di gente che mi dice come devo vivere, da mio cognato in poi. Eva non fa commenti, e non sembra neanche offesa. Sta assimilando quello che ho detto. Poi mi guarda interrogativamente, accennando ai Ringo. Annuisco, e lei apre il pacchetto e ne dà uno a Jezz, che se lo lecca e pasticcia con quei quattro denti che ha. Naturalmente le piace, figurarsi, sarà il primo biscotto degno di questo nome che mangia in vita sua.

Mentre metto a posto le mie cose in un angolo dell'armadio e in un ripiano del frigo, tanto per ristabilire un minimo di convivialità, indico il poster dei Rovaniemi Cowboys.

– Ti piacciono?

Eva scuote la testa. – Veramente no. Io faccio musica hardcore. Lo tengo lí perché uno di loro è il padre di Jezz.

– Cosa? Veramente? Uno dei Rovaniemi?

– Ah ah. Non so chi, di preciso, ma uno di loro di sicuro.

A quanto pare circa diciotto piú nove mesi fa Eva ha lavorato come montatrice di palco per un concerto dei Rovaniemi Cowboys a Valencia.

– Ero andata a trovare un mio amico che costruisce i carri. Sai, per quella festa che fanno lí. E tra una cosa e l'altra, un giorno l'hanno chiamato perché c'era un palco da mettere su per un concerto, e gli hanno chiesto se aveva degli amici, e cosí sono andata anch'io. Pagavano bene. La band erano loro. Il batterista è gay, ma gli altri tre, Jorma, Tuomo ed Eliel, no. Abbiamo fatto amicizia, sai com'è.

Amicizia, nel linguaggio delle ragazze che montano i palchi, pare significhi che dopo il concerto si beve insieme e si mangiano patatine fritte, e se capita un po' di affetto perché no.

– Il casino è stato questo, che io sono astemia, non bevo mai. Sono cosí di natura, non è una scelta, bere non mi piace. Al limite, cose con la frutta. E invece quella sera Jorma ha voluto a tutti i costi che assaggiassi un liquore loro, fatto con l'orzo. Mi ricordo solo che ridevo, e facevo le capriole. Poi mi sono svegliata, era il giorno dopo, ero nuda, e stavo su un grande grande materasso con Jorma, Tuomo ed Eliel. Anche loro erano nudi. E nessuno di noi si ricordava niente. Dopo nove mesi è nata Jezz, e quindi, onestamente, non so chi è suo padre.

Guardo la bambina che sta mordendo la testa del bambolotto. È bionda, ha gli occhi celesti, le guance rosa, un collo ben piantato, i piedi larghi. Guardo il manifesto dei Cowboys.

– A chi assomiglia?

– A tutti. Jorma e Tuomo sono fratelli, Eliel è cugino. Sono praticamente uguali.

– E non ne sanno niente?

– No. Che gli dicevo, scusa? Siete padri?

– Beh, perché no. C'era pure quel film... ti ricordi?

Accenno vagamente alla raccolta di sua zia, quella sotto il televisore. Mi pare di averlo visto fra gli altri.

– Ah certo, tre uomini e una culla, ma nella vita vera è diverso. Nella vita vera quello è un gruppo famoso, e di me se ne fregano.

– Okay, ma intanto che se ne fregano potrebbero darti un po' di soldi.

Eva alza le spalle, si taglia una fetta di pane, ci mette sopra il prosciutto e una sottiletta, e la mangia. Io faccio uguale a lei, ma invece della sottiletta insieme al prosciutto ci metto la maionese.

Eva si alza, acchiappa Jezz e le infila una giacchina.

– Che fai, uscite?

– Stasera suono. Te l'ho detto, faccio hardcore. HCBA.

– Cioè? Che vuol dire?

– Hardcore Bari. L'hardcore cambia da una città all'altra. Prima stavo con un gruppo hardcore Bergamo, adesso con degli hardcore Bari.

– Differenze?

– Piccole.

– E cosa suoni?

– La batteria –. È distratta da Jezz, che per la prima volta da quando la conosco ha da ridire. Si divincola dalla manica dell'orribile giubbotto arancione che sua madre tenta d'infilarle. Mi pare di capire che non ha voglia di uscire, e preferirebbe restare sul tappeto col bambolotto.

– È stanca, forse.

– Lo so. Ma io se non faccio un po' di hardcore almeno una sera alla settimana, mi abbrutisco.

Jezz si lascia mettere il giubbino, poi si sdraia per terra e comincia a sfrigolare.

So cosa ci si aspetta da me. È come se vedessi un'insegna al neon sulla parete di fronte, a lettere di quel bell'azzurro intenso da night club, un'insegna che dice:

OFFRITI DI TENERLA TU!

Ma la ignoro. Fingo di essere molto interessata alla maionese per non incrociare lo sguardo di Eva. Spalmo maionese sul pane con voluttà e giro impercettibilmente le spalle a madre e figlia. No, mi spiace, io non mi occupo di bambini.

Ma Eva non si perde d'animo.

– Okay, non ce la fa. La metto a letto. Tu esci, stasera?

Eccola lí. Se dico no, sono fregata. Se dico sí, mi tocca uscire oppure mentire deliberatamente a una donna che mi ha offerto una casa e una sua qualche elementare forma di conforto.

– No, – ringhio.

Senza dire altro, Eva porta Jezz di sopra. Dopo un po' scende, tutta soddisfatta.

– Dorme. Se chiama, cantale qualcosa e dalle un cucchiaino di acqua e zucchero. Se devi cambiarla, i pannolini sono in uno scatolone sotto il lettino. Bye-bye, ci vediamo domattina.

Mentre ancora cerco le parole per rifiutare in massa questo universo, Eva inguinzaglia Zarina.

– Al centro sociale c'è un bel cortile, può correre e pure fare la cacca, nessuno le dice niente.

Zarina mi guarda: centro sociale?

– E se hai fortuna non ti grigliano, – le dico, dandole una pacca sulla collottola.

Un'ora dopo, Jezebel si sveglia e strilla. Strilla forte, potrebbe tranquillamente entrare anche lei nel gruppo HCBA. Esamino con disgusto l'interno del suo pigiamino, ma sembra tutto a posto. Le do l'acqua e zucchero, e la sputa. Fiduciosa nel fatto di non avere testimoni, la prendo in braccio e provo a cullarla. Niente. Vuole la mamma, questa ingrata. Mi gioco anche la carta del canto, con il mio cavallo di battaglia, un pezzo vecchissimo che piaceva a mio padre, *Brand New Key* di Melanie. Ma non le interessa. Subito prima d'iniziare a comprendere le ragioni di coloro che ammazzano i bambini, mi ricordo di qualcuno, credo Buddy, o forse Seymour, che leggeva alla piccola Franny testi di filosofia orientale quando piangeva in culla, riuscendo a placarla. In questa casa di filosofia orientale non c'è traccia, e i miei libri sono a casa di mia mamma. Disperata, prendo una delle riviste che ho recuperato dal bidone, la apro a caso e leggo con voce bassa e monotona: – La francese Isabel Marant, regina incontrastata dello street chic, lancia le sue prime sneaker. Cool, sofisticate e con un vantaggio impagabile: una zeppa di sette centimetri nascosta all'interno. Il successo è immediato, lo stuolo di fan cresce di giorno in giorno. Naturale che brand e designer si buttassero sul… – Non sento piú strillare. Jezz si è stesa nel suo lettino, e stringe fiduciosa gli scarsi capelli di nylon di Guercio. Tace, e ha gli occhi già a mezz'asta. Per una volta, la capisco. Anche a me lo street chic fa lo stesso effetto.

Sono tornata giú, ed esamino le file di videocassette. Ne scelgo una che s'intitola *L'ereditiera* di William Wyler. La infilo nel registratore, e provo quel leggero brivido che, immagino, si moltiplica come una cascata di diamanti nella vita dei vecchi: rifare, ricordare, rivivere cose del passato.

Il videoregistratore! Come quando ero piccola! E ricordo tutto, eh? Che si schiaccia play, che si fa forward e rewind. Bellissimo. I dvd saranno piú fighi, ma non puoi mai fermare e riprendere, devi sempre andare al menu, scegliere le scene, fai pasticcio, scegli la lingua. Cosí è semplice. Mi sistemo sul divano, scalcio via le All Star e dopo i titoli di testa e una prima impressione di New York nell'Ottocento, sento suonare alla porta.

Ore ventidue e quindici. Eva non è, ha le chiavi, e piuttosto che rischiare di svegliare Jezz dormirebbe in cortile. Non so perché, penso subito alla zia oblata brigidina, quella del patchwork. Forse la vita di convento non fa piú per lei e ha deciso di tornare nella sua legittima dimora. So che ora aprirò la porta e me la vedrò davanti, in uno svolazzio di vesti monacali, con valigione rotellato al seguito. E mi toccherà andarmene, con il mio iPod, le mie riviste e disgraziatamente la mia Zarina.

Vado alla finestra, e guardo. Ma davanti al cancelletto vedo un uomo giovane e magro, che appena mi nota agita un braccio e urla: – Scusi se disturbo a quest'ora, ma è urgente. Mi apre, per cortesia?

Per cortesia sta fresco. Per aprirgli il cancello dovrei uscire con le chiavi, questa non è casa da telecomandi, e mettermi in sua balia casomai fosse uno di quei delinquenti che pullulano nelle strade della città. Siccome però anche da qui vedo che è un po' troppo stropicciato e un po' troppo benvestito per essere ladro o truffatore o assassino, decido di uscire e parlargli attraverso il cancello, come Piramo e Tisbe solo che quello era un muro.

Ed eccoci qui, uno da una parte e una dall'altra del cancelletto.

– Buonasera, – dice lui, propiziatorio. Crede che io sia uscita ad aprirgli.

Invece mi fermo a una certa distanza dal cancello e pronuncio una fredda frase attendistica:

– Buonasera. Cosa desidera?

– Cerco la signorina Fasano. Eva.

– Non c'è, mi spiace. Devo riferirle qualcosa?

Lui si stropiccia un altro po', sembra desolato.

– Sí. Dovrebbe dirle che è passato Cristiano Castelli, e che avrei urgentemente bisogno di parlarle per quel medaglione.

– Quello dell'autogrill?

– Sí. Quello dell'autogrill.

Lo guardo, e rifletto. Leggendo e vivendo, ho imparato che dalle cose vengono fuori cose, e poi altre cose ancora. Prendo le chiavi e gli apro.

Sting

A Cristiano Castelli piacciono sia le ragazze brune che quelle bionde, ma ha una leggera predilezione per quelle con i capelli rossi. Questa coinquilina di Eva Fasano che adesso lo fa entrare in una stanza calda e colorata ha effettivamente parecchi capelli, e tutti rossi, ma non un rosso aggressivo, una sfumatura riposante e ramata. Abbastanza giovane, tipo trent'anni, magra e vestita senza calcoli, con dei pantaloni di cotone blu e una vecchia T-shirt di Sting sormontata da una felpa blu stinta. Sguardo cauto, gesti diffidenti. Vale la pena di sfoderare con lei l'unico tratto che lo accomuni a suo fratello Tommaso, e cioè un sorriso irresistibile? Cristiano decide di sí, meglio farsi alleati e non nemici in casa di Eva.

Adele sembra reagire bene al sorriso irresistibile. In realtà, neanche lo vede, troppo occupata a valutare al centesimo tutto quello che sta addosso al suo visitatore. E visto che il totale è interessante, gli fa un cenno garbato in direzione del tavolo. Cristiano si siede proprio nel punto in cui qualcuno ha inciso con un temperino «Dio ti vede».

– Eva mi ha raccontato la storia del medaglione. Non riesce a capire come mai la signora si sia messa in testa che è suo.

– Di questo non ci preoccupiamo, cara...

– Adele.

– Adele. Può essere o non essere suo, non importa. Quello che importa è che mia madre non si darà e non darà a nessun altro pace finché non riavrà quel medaglione. È fatta cosí. Ciò che è suo, o che lei ritiene suo, deve essere suo.

– Troppo comodo.

– No, veramente non è comodo. Guarda me. Sono un uomo che lavora, al mattino mi alzo alle sei, ho un'azienda agricola...

Adele lo interrompe, mentre il suo cuore accelera con discrezione.

– Scusa, ma tu sei Castelli dell'Azienda Castelli, quella del Prendi e Taci?

– Sí. Perché?

– Perché ero... uhm... ero cliente.

Silenzio. Adele non ha intenzione di spiegare perché era cliente e adesso non lo è piú. Cristiano non ha intenzione di chiederglielo. E non gli interessa neanche tanto.

– Bene. Comunque, da quando abbiamo incontrato la tua amica in autogrill, mia madre mi perseguita come quel gabbiano.

– Quello di Coleridge?

– Brava. Lui. Non mi lascia vivere. Quindi a me non interessa sapere se è o non è il suo, io voglio ricomprarlo. E sono disposto a fare una buona offerta.

Adele tace. Cristiano ha l'impressione che stia pensando. In effetti Adele sta pensando, ma ad altro. Ha già notato che non ha la fede, ma questo ormai vuol dire poco. Bene, tocca inventarsi qualcosa.

– Non credo che funzionerebbe. Eva è molto... è molto consapevole dei diritti della donna. È proprio una femminista stile anni '70, hai presente? Un uomo che arriva qui a offrirle dei soldi per una collanina che lei ritiene un prezioso portafortuna farebbe un buco nel ragno.

– E non è facile, – annuisce comprensivo Cristiano.

– Quindi sarebbe meglio se a trattare venisse una donna. Non tua madre, già si sono viste e non ha funzionato. Una donna giovane, con cui potesse instaurarsi un clima di complicità. Manda tua moglie.

– Non sono sposato.

– Fidanzata? Amante preferita?

– Non ho fidanzate e la mia amante preferita in questo momento è a Zanzibar.

Adele gli sorride. È un sorriso del tipo: non preoccuparti di niente, ci sono qui io, andrà tutto bene.

– Allora sai cosa facciamo? Me ne occupo io. Le spiego tutto, e la convinco. A quanto possiamo arrivare?

Cristiano la guarda, perplesso. «Eccola qui, – pensa, – la classica amica avventuriera che vuole arraffare qualcosa in proprio. Io le dico X, lei a Eva dice X meno Y, e Y se lo tiene lei. Tipico delle donne con i capelli rossi, per questo non ho sposato Carla Rocchetti, e neanche Lucia Garolli. Non le ho sposate, nonostante i loro bei capelli e tanto altro di buono che avevano distribuito lungo il corpo e attorno al viso, perché erano due tiepide sgualdrine che volevano mettere mano ai forzieri».

Va detto, a questo punto, e tanto per non lasciare dubbi, che anche Cristiano Castelli, come sua madre, ha parecchi soldi. Non soltanto perché l'azienda prospera, ma anche perché i soldi sono pregressi, sono sedimentati, girano senza meta in famiglia da tre o quattro generazioni, sempre aumentati senza sforzo. Il che ha portato i Castelli a esercitare una certa cautela nei rapporti umani. Essi non sono di quei ricchi che elargiscono senza esitare al primo o alla prima che passa. Con la notevole eccezione di Tommaso Castelli, essi sono persone che non amano scialacquare. Occorre tener presente che sono originari di Asti, un comune lindo, verde e sottotraccia. Quindi Cristiano non è il tipo d'uomo che di fronte a un incantevole sorriso di una rossa un po' smunta ma ombrosamente seduttiva si lascia andare a fare cifre. No no. Adele se lo può scordare.

– Se non ti dispiace, preferirei parlare direttamente con lei, con Eva. Non ti preoccupare, sarò molto delicato, niente maschilismo.

– Bene, allora ripassa... vediamo...

Lui scuote la testa e le sorride in un modo leggermente

crudele che la disorienta, e le fa venire per un istante la pelle d'oca. Strano, interessante.

– So dove lavora, la cercherò lí.

Adele si chiede cosa significhi: so dove lavora. Eva lavora in ogni luogo del cielo e della terra. Ma non commenta e continua a sorridere. – Ti va di bere qualcosa? – Spera che dica di no, perché in quella casa c'è ben poco da offrire, e infatti Cristiano dice di no, e si alza per andarsene. «Accidenti, non gli sono piaciuta», – pensa Adele.

Adele. Franco Molteni

Fin da quando ero una ragazzina abbastanza alta con i capelli che non stavano a posto e un po' di lentiggini ma senza esagerare, niente effetto Pippi Calzelunghe, per capirsi, ho sempre progettato di sposarmi per soldi. Avevo dalla mia una caratteristica che mi rendeva adatta all'impresa: non mi innamoravo mai. I ragazzi mi piacevano, e li baciavo volentieri, ma preferivo tenerli ai margini della mia vita. Quindi bastava trovarne, fra quelli ricchi, uno che mi piacesse e fosse gradevole da baciare, ed ero a posto. A spingermi non era un particolare amore per il denaro, o il desiderio di comprarmi molte cose. Il mio obiettivo era un altro: non volevo dover mai nella mia vita lavorare, e volevo invece trascorrere la mia intera esistenza a leggere, ascoltare musica, vedere i posti e imparare cose. Volevo una vita da dedicare al piacere di studiare. E farlo a scopo privato, senza trasformare la cosa in una professione intellettuale. Era mia intenzione passare nel mondo senza lasciare traccia, volevo essere una persona ecosostenibile da tutti i punti di vista. Quindi mi serviva qualcuno che mi mantenesse con larghezza, fornendomi un budget ragionevole per libri, computer, abbonamenti ai musei, biglietti per i concerti e qualche viaggio nelle capitali europee. Che ci vuole?

L'importante, la cosa essenziale, era che nessuno mi parlasse di lavoro, né di occuparmi di una casa, cucinare, o allevare bambini. Volevo essere libera, benestante e disoccupata. Mi sono iscritta con piacere all'università, naturalmente a Lettere, una facoltà che quasi azzera il rischio di trovare lavoro, mi sono laureata in fretta e bene, e intanto puntavo con calma Franco Molteni, della omonima fabbrica biellese. Franco frequentava Economia e Commercio, ma era amico di una mia amica, e piú o meno a metà del secondo anno ho cominciato a baciarlo occasionalmente. Si poteva fare, e si è fatto.

Avevo venticinque anni e senza rimpianti ho lasciato Torino in favore di Chiavazza, sobborgo di Biella, e le due stanze dei miei genitori per una villa minacciosa di fine Ottocento, e per sette anni, fino a quella brutta mattina in cui ho conosciuto Zarina, tutto è andato veramente benissimo. Da Biella era solo un pochino piú scomodo spostarmi a Praga, San Pietroburgo, Dublino. Ho letto, studiato, ascoltato, visitato, imparato. Intanto, nella nostra bella villa con una pregevole collezione di rododendri, qualcuno preparava i pasti, scopava sotto i letti, stendeva ciò che la lavatrice restituiva pulito, acquistava cibo negli ipermercati o se lo faceva inviare dall'Azienda Castelli. Questo qualcuno si chiamava «signora Ida», arrivava la mattina alle otto, se ne andava il pomeriggio alle sei. Aveva un'aiutante saltuaria per i lavori pesanti, che cambiava frequentemente identità, e che io incontravo a stento. Il sabato e la domenica mangiavamo fuori o recuperavamo gli avanzi in frigo. In sette anni, ho cucinato personalmente solo tè, caffè, e ogni tanto un purè in scatola della Pfanni quando mi prendeva il raptus del purè, ovvero la cosa piú simile al romanticismo che io abbia mai sperimentato: sera d'inverno, pioggia o neve, e quella sensazione strana come se il cuore fosse elastico e ci stesse dentro tutta la tua vita. Lí scatta il desiderio di un morbido e burroso purè in scatola.

La signora Ida è poi scomparsa come tutto il resto, l'ha licenziata Ruggero, pagandole quel che c'era da pagare perché un fratello della signora Ida fa il camorrista a Napoli e Ruggero non vuole grane.

Quindi io non sono in grado di mantenere me stessa secondo lo standard a cui sono abituata. Non c'è verso, non è pigrizia, è che non so fare niente, tranne stirare, e stirando anche dodici ore al giorno, a parte che morirei, ma poi posso guadagnare al massimo, non so, mille euro al mese? Perciò non mi resta che trovarmi un altro marito ricco, però piú affidabile. E Cristiano Castelli dell'Azienda Agricola che fa il Prendi e Taci potrebbe andare bene. Non è per niente brutto, anzi, è un po' delizioso. Si veste bene e ha un lavoro molto impegnativo. Sí, perché un marito ricco va bene se è occupatissimo. Se sta tutto il giorno in fabbrica, come faceva Franco, che però purtroppo in realtà stava anche molto in Bielorussia. Se sta tutto il giorno nei campi a controllare che la roba venga su bene, come farà di certo Cristiano. Il marito ricco infingardo, che ciondola tutto il giorno e vuole che lo accompagni nei posti, quello no, non va bene per me.

L'unica cosa che un po' mi preoccupa, penso andando a dormire, mentre mi spalmo sulla faccia l'ultimo fondo di un barattolo di crema da notte come si deve, dopo di che mi resterà soltanto la Nivea, e ancora grazie, l'unica cosa che un po' mi preoccupa è: sarà un'azienda solida, la Castelli? O monto tutto il torrone d'indurre quest'uomo a sposarmi per poi essere daccapo? A occhio, sono abbastanza ottimista. Le aziende agricole reggono: le persone, anche in tempo di crisi, hanno la mania del cibo sano, chilometro zero, pollo che lo conosci fin dall'uovo, pomodori da cui gli insetti sono stati allontanati agitando un ventaglio sulle piante, queste cose qui. Ma domani m'informo. M'informo e se ho buone notizie parto con un piano qualsiasi. Utilizzerò il medaglione di Eva a fini personali. Purtroppo, a questo Castelli non piaccio, è evidente, ma non piacevo neanche a Franco Molteni, eppure dài e dài si è ritrovato nella chiesa di Chiavazza che stava dicendo di sí a un prete, e io ero lí vicino a lui intabarrata in metri e metri di merletti. Ora si tratta di rifare lo stesso trucco, e se Dio vuole questa volta potrò sposarmi in municipio con addosso roba normale, e niente pranzo di nozze. Al massimo, un aperitivo.

Dieci minuti dopo che Cristiano se n'è andato, arriva Eva. Dice che non riusciva a suonare la batteria hardcore con spensieratezza lontana da Jezz.

– E però credo che a Jezz faccia bene stare lontana dalla batteria hardcore. Voglio dire, pensa ai suoi timpani. Saranno piccolissimi.

– È abituata. Jezz è abituata a tutto quello che faccio io.

– Beh, comunque ha dormito tranquilla. Ah, è venuto uno a cercarti.

Eva fa la faccia sospettosa.

– Stasera? E chi era? Perché?

Le spiego che la malefica strega del medaglione l'ha rintracciata, e le ha sguinzagliato dietro il figlio. Eva già lo sa, l'aveva avvertita suo fratello, ma non capisce come faccia il tipo ad avere il suo indirizzo.

– Ormai gli indirizzi sono il segreto di Pulcinella. Senti qua, ho una buona notizia da darti. Dice che siccome non sa se è davvero il medaglione di sua madre o no, è disposto a comprartelo. Tu chiamalo, e lui ti fa l'offerta. Qua c'è il numero.

Le porgo il biglietto da visita di Cristiano, e lei, senza neanche guardarlo, ma proprio avesse almeno abbassato un occhio invece niente, lo strappa ben bene.

– Ce l'avevo già il numero. Ma tanto non lo vendo.

– Ma senti almeno l'offerta!

– No.

Perdo la pazienza.

– Perché, hai soldi da buttare? E tua figlia? Magari ogni tanto comprarle un giocattolo, invece di raccattarli dall'immondizia? Farle mangiare del cibo che non sia avanzato da un ristorante? Non so eh, dico per dire, metterle addosso della roba della sua misura? Non ti passa per la testa? Sempre da stracciona vuoi farla vivere?

Eva prende sul serio la mia domanda. Si vede che ci sta pensando, poi scuote la testa.

– Non vive da stracciona. Ha una casa, ha da mangiare, dei vestiti che magari non saranno nuovi ma sono belli, tutti colorati. Non è mai malata, e adesso grazie a te ha pure un cane. Ha un bambolotto, e anche altri giochi. Cosa cambierebbero trecento euro? O anche tremila? Mica tanto, alla fine. Ma se perdiamo il nostro portafortuna, allora può cambiare tutto. Può passare una macchina e metterci sotto. Potremmo prenderci un virus!

Vorrei spiegarle che i portafortuna non esistono, e che la fortuna ce la facciamo noi, ad esempio vendendo per un bel po' di soldi una stupida catenina trovata in spiaggia, ma già lo so che non servirebbe. Per ripicca, prendo i Ringo e me li porto in camera. Lo so benissimo che le piacerebbe aprirne un paio e leccare la crema ma no, niente, se vuole avere la testa dura, figuriamoci se mi tiro indietro.

Samuele, Aura e Tito Livio

Guenda Molteni ha i suoi riti, e sicuramente anche i suoi miti, ma al momento questi ultimi non interessano. Basterà accennare fuggevolmente al fatto che possiede trenta oggetti, fra scarpe, occhiali da sole e altro, che portano la firma della casa di moda Prada. E che si è fatta ritappezzare la cucina con carta da parati autentica del 1973. I riti, invece, meritano maggiore attenzione. Ad esempio, il rito della macedonia ha luogo ogni mattina alle sette e trenta in punto. Mentre suo marito fa i suoi dieci minuti di cyclette prima di uscire, e i bambini si preparano ad andare a scuola o all'asilo accompagnati da Fabius, l'autista cubano, lei si siede nell'office attiguo alla cucina e consuma uno scodellino di frutta a cubetti con limone. Le piace? Ma neanche per sogno. Quello che le piacerebbe davvero sarebbe un bel krapfen pieno di crema, o due uova con tanta pancetta. Ma quel morbido festone di carne che sovrabbonda dalla cintura dei pantaloni di lino un po' strettini va eliminato, e dunque addio krapfen e benvenuta macedonia. Ma avviciniamoci, e sentiamo cosa borbotta a fior di labbra:

– Ti detesto e vorrei che tu scomparissi nelle fiamme dell'inferno. Ti odio ananas molliccio, mi disgusti kiwi, tu in particolare, sí proprio tu, lurido kiwi coi semini se potessi ti ammazzerei con le mie mani, e anche tu pera potessi strozzarti, non ne posso piú di tutta te, frutta, mi schifa mangiare la macedonia, ti venisse un infartone a tutta quanta frutta che sei nel mondo.

Ripete ogni mattina questa geremiade con qualche variante, mantenendo il suo impassibile aspetto da bella donna convenzionale, capelli biondi tinti, sopracciglia depilate, lineamenti neutri. Brutta pelle. Vomita odio sulla frutta ma nessuno lo sa e nessuno la sente, tantomeno Ruggero, che macina chilometri sulla cyclette nell'angolo di un enorme bagno marmorizzato. Quando finisce, inspira, si butta chissà perché un asciugamano intorno al collo, forse perché l'ha visto fare a Stallone in qualche film, poi raggiunge la moglie al tavolo della colazione, con una cartellina in mano. Dalla finestra vede Samuele, Aura e Tito Livio correre verso la Volvo. Fabius li attende, e apre la portiera.

– Buongiorno darling. Tutto bene? I cuccioli?

Purtroppo sí, è cosí. Ruggero Molteni è quel tipo d'uomo che definisce i suoi figli «i cuccioli». Guenda lo trova normale, d'altronde se non fosse cosí a quest'ora lo avrebbe già fatto smettere a sberle e morsi.

– Benissimo. Andati.

– Ottimo. Ho giusto bisogno di una piccola consulenza.

Ruggero apre la cartellina sul tavolo, mentre Guenda inghiotte in fretta l'ultimo dannato chicco d'uva, e si guarda intorno spaventata.

– Attento che Divina e Annabel erano qua...

– No, sono sotto. Tranquilla. Guarda qui. Ti piace questo?

Guenda guarda, ma con tutta la sua buona volontà non riesce a capire cosa sta contemplando. È l'ultimo prodotto della Say Sexy, l'azienda di famiglia, ma non riesce a identificarlo. Pelle nera... dita.... Tacchi...

– Sí certo, – dice Guenda, leale. – Ma cosa sono?

– L'ultima geniale idea del mio team di creativi. Guanti coi tacchi. Immagina... lui dominator, lei slave. Lui la fa mettere a quattro zampe per frustarla o altro. Lei indossa un paio dei nostri stivali, ad esempio il modello DF505, sai no, i «Matrigna Pazza». Benissimo. Ma le mani? Se sei carponi, seguimi Guenda, se sei carponi hai anche le mani a terra. Finora trascurate. Finora messe lí un po' cosí a casaccio. Ma d'ora in poi le mani indosseranno i nostri guanti modello HH32, pelle nera, lunghezza gomito, fibbie, cinque dita e tacco al tallone. Tre misure: tacco 9, tacco 12, tacco 18. Eh? Eh?

Ma Guenda non ha modo di esprimere a Ruggero la totalità della sua ammirazione, perché il suo cellulare inizia a suonare, e vedendo il nome sul display lei perde il buonumore.

– Oddio... è tua cognata...

Ruggero fa una smorfia.

– Che sfinimento, quella donna. Non lo capisce che ormai è out, è fuori, non ci riguarda piú, non siamo i suoi tutori, le abbiamo pure trovato un lavoro, che diavolo vuole, comunque rispondile che magari ha notizie del babbeo.

– Ma figurati... ti pare che dà notizie a lei? Ciao Adele! Che piacere sentirti. Come stai?

– Bene ma devo sbrigarmi perché ho quasi finito il credito e non posso ricaricare. Senti qua, che mi dici dell'Azienda Agricola Castelli?

– Ca... stelli? Quelli del Prendi e Taci? Perché me lo chiedi? Ti hanno offerto un lavoro?

– No. Voglio sapere se hanno i soldi.

– Ma sí, direi di sí. Voglio dire, sono anni che prendo da loro, credo abbiano un giro d'affari...

– Non m'interessa il giro d'affari. Pure tuo cognato aveva il giro d'affari, e adesso io ho duecento euro come patrimonio complessivo. Voglio sapere se sono ricchi da generazioni. Se hanno proprietà.

Guenda è restia. Scatta quella solidarietà fra patrimoni che anima i biellesi purosangue. Perché questa ex cognata ormai tornata alla classe operaia s'interessa di famiglie benestanti che non la riguardano?

– Scusa sai, ma perché lo vuoi sapere?

Adele reprime le varie risposte che le fioriscono sulle labbra. Sa che Guenda non va affrontata, va circumnavigata.

– Per conto di un'amica. Senti, mi sta finendo il credito. Se non mi rispondi, mi tocca prendere l'autobus e venire a parlarti di persona.

– Ah –. Solidarietà fra patrimoni va bene, ma di fronte al rischio visita, Guenda cede. – Sí, certo, ne hanno, ne hanno sempre avuti. In piú ha tutto in mano il figlio a posto, Cristiano, perché l'altro ha fatto fuori l'eredità, e adesso è sempre in giro, un mezzo delinquente… insomma, è tagliato fuori, perciò i soldi non rischiano piú niente. Che amica?

– Lascia perdere. Grazie.

Guenda fissa il telefono muto.

– È sempre stata una maleducata, quella ragazza.

Ruggero fa una smorfia.

– Ha voluto sposarsi la secchiona col padre operaio, mio fratello. Giusto perché aveva due belle tette. E adesso viene fuori il marcio. Tanti libri, tanta cultura, ma se una nasce male, prima o poi salta fuori.

– Per forza. Hai presente sua madre?

Guenda e Ruggero ridono, e poi chinano di nuovo la testa all'unisono sui guanti a stiletto.

Maria Consolata Greco

Quando ha tempo Marta Biancone prima di entrare in studio fa colazione in uno dei tanti confortevoli bar che punteggiano il Quadrilatero, quartiere contemporaneamente legale e modaiolo nella città di Torino. Spesso è sua compagna di croissant e cappuccino la collega Maria Consolata Greco, specializzata in editoria, contratti, beghe di scrittori e vendita di diritti. È capitato che si siano passate clienti: quando la celebre scrittrice vuole divorziare, Maria Consolata la manda da Marta, e quando il famoso dirigente Fiat appena divorziato vuole scrivere le sue pruriginose memorie, Marta lo manda da Maria Consolata. Ogni tanto le due si frequentano anche al di fuori degli orari di lavoro: vanno insieme a teatro (solo al Carignano), vanno insieme a fare acquisti (solo in boutique interno cortile, nascoste agli occhi delle fuori dal giro), vanno insieme a farsi scalare i capelli. Insomma, secondo gli standard torinesi sono amiche. E volentieri si scambiano pettegolezzi professionali, nei limiti consentiti dalla deontologia.

– Stamattina sono di corsa, – dice Maria Consolata affiancandosi a Marta lungo il banco del Café Café di piazza Savoia. Aggancia un croissant mentre il barista, senza fare domande, le piazza davanti un cappuccino.

– Cosa va a fuoco?

– Quelli della Pastelli, la casa editrice. Pare che chi sai tu non voglia piú scrivere i Dany Delizia.

«Chi sai tu» è il noto giurista ed esperto in diritto canonico, assai clericale in pubblico e sfrenatamente gay in privato, che nascondendo dietro lo pseudonimo di Valentina Macrí le sue pulsioni adolescenziali da anni scrive con spiccata verosimiglianza le avventure di Dany.

– Pare che abbia fatto due conti, e abbia deciso che ormai ha abbastanza soldi per trascorrere il resto della vita in un'isola tropicale badato da un ensemble di gioventú del luogo, senza piú affaticarsi a toccare un computer.

«Quando lo saprà Clotilde...», pensa, ma non dice, Marta. Lei è infatti l'unica a conoscere i passatempi proibiti (o almeno, quel passatempo proibito) della sua amica. Quello che dice è: – Beh, lo credo che la Pastelli va a fuoco. Perdersi la gallina dalle uova eccetera.

– E infatti non vogliono perderla. Ma il contratto a Ics Ipsilon l'ho fatto io, e quindi dovranno rassegnarsi.

– Vuoi dire che non usciranno piú libri di Dany Delizia?

– E perché? Li faranno scrivere a qualcun altro. I diritti sul nome li hanno loro. Anzi, se hai qualcuno da segnalare. Ci vuole una persona che sia disposta a scrivere in anonimato. Non so, qualche divorziata che vuole arrotondare gli alimenti...

– Quelle che divorziano con me non hanno bisogno di arrotondare, – precisa Marta, orgogliosa.

Ma è un orgoglio distratto, perché lei è una di quelle donne che mentre sta vivendo una cosa già si prepara a viverne un'altra, e spesso le sue labbra formano silenziosamente le parole che dirà fra poco o fra molto a qualcuno che, nella sua immaginazione, è già lí con lei. E quello che adesso, senza rendersene conto, sfiora con le labbra mentre anche lei esce rapida dal Café Café per raggiungere il suo studio, è la seguente frase: «Non t'immagini mai, Clotilde, che cosa è successo...»

Adele. Rodolfo e Leonardo

Mentre andiamo insieme a Villa Gambursier, l'atmosfera fra Eva e me è piuttosto freddina. Non è solo per ieri sera, oggi abbiamo litigato di nuovo. Causa Zarina. Eva voleva portarsela dietro, era del parere che lasciarla a casa da sola non fosse gentile, e sosteneva che lí dalla Biancone, con quel parco, un cane sarebbe passato molto inosservato.

– Te lo scordi. Sono stata io a raccomandarti e se quella cretina le scava le buche, Ernesta ci licenzia tutte e due. Sai cosa diceva sempre mia madre? O giardino o cani.

– Assurdo. I cani stanno bene in giardino.

– Comunque, Eva. Non discutere sempre. Tu il cane dalla Biancone non lo porti. Già la bambina...

Guardo Jezz, in braccio a sua madre, vestita come sempre in modo impossibile, i capelli legati in due micro codini con due elastici uno diverso dall'altro, la faccia lustra e fiduciosa. Jezz guarda me e imprevedibilmente mi sorride e mi porge Guercio, che sta in braccio a lei con un complessivo effetto matrioska.

– Te lo puoi tenere, – le dico a muso duro, e lei ride.

Quando arriviamo dai Gambursier (senza Zarina), Eva si dirige verso il garage, io entro in casa, saluto Ernesta e passo in stireria, accompagnata da lei.

Mi si parano davanti due cesti stracolmi di roba anche con molti frilli. Mi sento come la principessa dei chicchi di grano prima dell'arrivo di Tremotino.

– Mamma mia. Mi dica le cose piú urgenti, perché di certo non riuscirò a fare tutto.

Ernesta mi squadra: – La trova tanta? Vedesse quando c'erano i signorini!

Italiano a parte, sono stufa dei signorini. Tanto per cominciare, chi sono?

– Scusi, ma chi sarebbero questi signorini?

– I figli della signora e del conte, Rodolfo e Leonardo.

Caspita. Non sapevo che la Biancone avesse dei figli. La credevo esente da maternità per scelta. Già era strano che si fosse sposata, pensavo che le famose avvocate divorziste considerassero i mariti in genere come lavoro, e quindi nella loro vita privata li evitassero.

– Ah. Sono grandi?

– Eh sí. Venticinque anni. Sono gemelli, sa? Mi sembra ieri che andavano all'asilo. E adesso sono in Australia!

Asilo-Australia senza tappe intermedie. Non sono affari miei. Gli affari miei sono riflettere su come farmi sposare da Cristiano Castelli. Ho venti camicette di tempo per pensarci.

La Pasti

Come si è detto, Umberto Gambursier ha un certo fascino fisico, unito a quello charme particolare che deriva da una stupidità contenta di se stessa.

Umberto non capisce quasi niente, ma è difficile fregarlo, e conserva anche ora che ha superato i sessanta una curiosità verso il mondo non tinta di cautela, visto che è appunto troppo stupido per immaginarsi il pericolo. È un uomo che, di fronte a tre delinquenti in un vicolo buio, tutti e tre armati di pistole puntate contro di lui, sarebbe innanzitutto colpito dal tessuto della giacca di quello di mezzo:

«Ehi, ma è una Ermenegildo Zegna del '74... ce l'aveva identica mio zio... Dove l'ha presa?»

Stamattina ha chiesto a Eva di portarlo a fare una serie di commissioni, poi al Circolo del Whist e per finire, nel pomeriggio, in Arcivescovado, dove dalle ore sedici sarà possibile recuperare la sua patente, ponendo cosí fine alla loro breve ma piacevole collaborazione. Jezz e Guercio sono seduti accanto a lui, e stamattina Jezebel sembra desiderosa di un po' di vita sociale.

Ha la mano sporca di una caramella mou che si è spiaccicata in bocca nel tentativo non del tutto riuscito di mangiarla, e quella stessa mano sta per posarla sui pantaloni di pettinato grigio di Umberto, che la blocca appena in tempo.

– Ehi. Non mi toccare. Sei sporca.

Poi resta lí, con il polso della bambina in mano. Non sa cosa farne, se lo lascia andare planerà sui pantaloni, d'altra parte non può tenere per sempre un piccolo polso in mano. La guarda. Jezz aspetta: il tipo le ha preso il polso, ora farà qualche gioco. Quando si rende conto che non succede niente, e il tempo passa, e la vita è troppo corta per sprecarla cosí, con la mano libera prende Guercio e glielo sbatte forte sul braccio.

– Ehi! – grida Umberto, che molla il polso, provocandone l'atterraggio sul pettinato: è stato tutto inutile.

– Scusi! – dice Umberto a Eva.

– Sí?

– Guardi che sua figlia mi ha sporcato i pantaloni.

– Con?

– La caramella.

– Ah. Okay. Jezz non toccare il signore.

– Taaa gaa, – risponde lei, poi cerca di levarsi la cintura di sicurezza.

– Conte, le spiace stare attento che non si sganci la cintura? Certe volte ce la fa.

– Scusi se glielo dico, ma lei non troverà mai un vero lavoro se si porta sempre dietro questa bambina. Non esistono gli asili nido?

– Non per noi.

Ancora una conversazione che si arena. Umberto, però, ha un'idea. Ogni tanto gli succede, sempre e solo per sopravvivenza personale. Come impedire che questa bambina continui a toccarlo? Facendole toccare qualche altra cosa. Tira quindi fuori dalla tasca del sedile di fronte un Atlante Stradale dell'Italia, e lo porge a Jezebel.

– Strappa, – la invita, e lei non se lo fa ripetere.

Eva capisce che dietro è tornata l'armonia e azzarda una richiesta:

– Mettiamo un po' di musica, sir?

A Umberto Gambursier piace molto essere chiamato sir. Si chiede perché nessuno l'abbia mai fatto prima. Ottima soluzione. Ora insegnerà anche al personale domestico di Villa Gambursier a chiamarlo sir. Messo di buonumore, acconsente, e ben presto il soave abitacolo della Jaguar è invaso dalle note di *Piastra*, l'ultima hit dei Dalex, una delle poche band dell'HCTO che abbia una cantante femmina, la Pasti.

Il conte non se lo aspettava. Per la verità, è impossibile aspettarsi *Piastra*, in quanto composta da suoni mai uditi prima. La Jaguar si scuote tutta come se dovesse diventare un furgone da un momento all'altro, Jezz fa quello che fa sempre quando sente musica hardcore, e cioè infila la testa da qualche parte, in questo caso sotto la giacca di Umberto, che dopo essersi sentito percuotere fin dentro i piú interni degli organi interni, apre la bocca per supplicare Eva di togliere immediatamente quella roba. Ma qualcosa lo blocca. La consapevolezza improvvisa che quella che canta è una donna, una donna che ruggisce come mai lui, nella sua vita impenitente di uomo che punta ai record, ha sentito ruggire. Urlando per sovrastare il fracasso, chiede:

– Chi è questa?

– È la Pasti!

– E sarebbe una cantante? Non sente come strilla?

– L'hardcore si fa cosí. Lei è bravissima, pensi che una volta ha teso talmente le corde vocali che le si è strappata l'ugola.

Umberto Gambursier prova un piacevole senso di sorpresa. Pensava di aver conosciuto ogni genere di donna, e di averle sperimentate tutte, ma una cantante hardcore che una volta si è strappata l'ugola gli manca. Una creatura chiodata che urla, e che probabilmente...

– Ha tatuaggi? Ha piercing? Porta grosse scarpe e calze nere?

– Sí. Tutto questo. La conosce?

– No. Vede... mi scusi, ma non ricordo il suo nome.

– Eva.

– Vede, Eva, è da un po' che desidero incontrare giovani donne punk, ma per un motivo o per l'altro mi riesce difficile incrociarle. Neanche ai Murazzi, di cui pure sono un assiduo frequentatore, se ne presentano spesso.

– Beh, se vuole una sera può venire con me al Montezuma.

Umberto Gambursier non sa cos'è il Montezuma, ma sente che in questa giovane autista con figlia ha trovato una nuova amica.

Adele. Emma Delacroix

Il destino sembra disposto a darmi una mano. Verso il termine delle mie ore di lavoro, passo lungo una finestra piccola, come piacciono a me, e vedo in giardino proprio lui, il mio futuro marito. Sta appoggiato alla sua macchina, una cosa grossa sporca di fango, e legge il giornale. Noto con piacere che si tratta di «La Repubblica». Se lui leggesse «Libero» o «Il Giornale», sarei costretta ad annullare le nozze. Franco leggeva «La Stampa», edizione Biella. Mi chiedo cosa ci stia a fare il mio fidanzato nel giardino dell'avvocato Biancone: non è sposato, quindi non deve divorziare, e comunque andrebbe in studio. Ah, ma certo. È venuto a cercare Eva.

Torno velocissima in lavanderia, stiro a razzo tre grembiuli a righine rosa, stacco la caldaia, passo in bagno a darmi un tono e da Ernesta a dirle che me ne vado, poi lancio un'occhiata in giardino dalla finestra della dispensa. Lui è ancora lí.

Lo indico a Ernesta: – Sa chi è quello?

Lei mi guarda con astio. – Non si dice «quello». Si dice «il signore».

– Okay, scusi, chi è il signore?

– È il signor Castelli, il figlio di un'amica dei signori.

– Mmm.

Ernesta mi guarda e si trasforma sotto i miei occhi, da governante in donna.

– È molto affascinante, vero? Ti piace?

Oh Signore, è passata al tu.

– Abbastanza.

– Io l'ho sempre preferito al fratello.

Mi piacerebbe estorcere altre informazioni su di lui ed eventualmente sul fratello, ma ho paura che il leprotto mi scappi, e quindi saluto in fretta Ernesta e corro di sotto, proprio mentre sta arrivando la macchina del conte.

Vedo Eva che apre la portiera e, con un certo stile, devo ammetterlo, sta ferma e dritta mentre il conte scende. L'effetto è un po' rovinato dal fatto che lui ha in braccio Jezz, che gli sta sbattendo Guercio sulla testa.

Noto che Guercio ha l'aria provata, e rifletto, non per la prima volta, sul fatto che essere la bambola di una bambina molto piccola può risultare avvilente. Umberto Gambursier porge Jezebel alla sua mamma, le bacia tutte e due, sussurra qualcosa all'orecchio di Eva, poi si avvia, guarda Cristiano, pensa che forse lo conosce ma non si ricorda chi è, allora lo saluta con un sorriso cordiale e rallenta di mezzo passo, per vedere se l'altro lo ferma e manifesta interesse. Cristiano ben si guarda dal fermarlo o manifestare interesse, allora il conte procede, vede me, mi sorride con un certo entusiasmo, e stanco di incontrare gente che non sa chi è si rifugia in casa da una porta finestra.

Restiamo noi tre. Io sono spettatrice interessata, e ammiro il garbo con cui Cristiano si avvicina a Eva, la saluta e la blocca quando lei cerca di scappare.

– Voglio solo parlarti.

– E di cosa? La catenina è mia.

– E io ci credo. Ma mia madre, povera donna, la confonde con quella che le aveva regalato mio padre in punto di morte. E vorrebbe tanto riaverla. Se tu potessi venire incontro al desiderio di una persona fragile, e ancora oppressa dal dolore...

– Non mi è sembrata per niente oppressa nell'autogrill.

– Trasforma la pena in aggressività. Sii gentile... ti propongo una transazione per ottocento euro.

Chiedine mille, penso, e intanto mi avvicino a lui. Devo agganciarlo adesso, subito, se no quando mi ricapita di vederlo?

– Non li voglio. Senti, smettila di starmi appresso perché non serve a niente. È il nostro portafotuna, – indica Jezz, che sta cercando di afferrare Cristiano per qualche lembo del suo abbigliamento, mentre lui la scosta deciso, ma non come se fosse una mosca, come se fosse un fiocco di neve.

– La fortuna deve girare, cara Eva... noi la afferriamo, e poi dobbiamo condividerla con altri, invece di cercare di trattenerla fra le nostre mani con avidità. Rendi felice mia madre, prendi i mille euro che ti offro, e vedrai che...

Cristiano s'interrompe. Piú o meno alla parola «condividerla», Eva si è girata e si è allontanata con energia. Io e Cristiano restiamo a guardarla mentre sparisce dietro l'angolo della casa. Quando non possiamo piú guardare lei in quanto definitivamente sparita, rimaniamo per un attimo sospesi senza guardare niente, poi stabiliamo all'unisono di guardarci fra noi. È abbastanza bello, ma neanche questo può durare tanto. Parlo io? No. Decido di stare zitta, e affidarmi alla potenza del silenzio. E funziona, perché parla lui.

– Che ci fai tu qui?

– Te lo spiego se mi dai un passaggio fino a casa. E intanto discutiamo di quei mille euro.

Lungo la strada, ci fermiamo a mangiare un gelato. La pasticceria Delacroix di corso Fiume ha una veranda tipo serra attiva anche quando fuori nevica. Stiamo seduti di fronte agli alberi belli del corso, e chiacchieriamo. Lui mi parla dell'azienda, e di queste ore che ha rubato alla pianificazione dei prossimi Prendi e Taci. Io gli racconto di quando anche noi ordinavamo il Prendi e Taci, che la signora Ida aspettava con trepidazione, come se tutti i mercoledí fosse il suo compleanno. Gli spiego che non sono piú cliente perché completamente priva di entrate e posso contare solo su quello che mi dà Ernesta per stirare le camicie Biancone-Gambursier. Gli racconto di mio marito e della Sveta, di Zarina, e di come ci siamo conosciute io ed Eva. Lui mi spiega che sua madre è una strepitosa rompiscatole, che il medaglione non gliel'ha affatto regalato suo padre bensí un inane amante di un tempo, un idiota che come unica virtú aveva un servizio micidiale a tennis. Mentre parliamo, cerco di capire come farlo innamorare almeno quel tanto da progettare di rivedermi. Gli assicuro che cercherò ancora di convincere Eva, ma lui dubita che esistano i margini.

– Fammi provare.

– Perché, scusa? A te che importa, di questa storia?

A volte si può essere molto stanchi anche a trentadue anni. Mi piacerebbe deporre ogni tentativo di pianificazione bellica, leccare dal cucchiaino l'ultima goccia di «Crema di Luna», il meraviglioso gusto inventato da Emma Delacroix, e poi dirgli, piú o meno:

«Niente. Sto solo cercando un modo per restare in contatto con te, che al momento rappresenti la mia migliore e forse unica speranza di riprendere quella vita di ozio e agiatezza condita da interessi culturali che ritengo adatta a me».

Invece, mi tocca fare la faccetta zelante e dire:

– Mi importa perché Eva mi ha aiutata, e anch'io voglio aiutarla. Il Cielo sa se ha bisogno di quei soldi. Praticamente nutre sua figlia di avanzi. E poi, hai visto quel bambolotto?

– Ma è ostinata come una capra figlia di un mulo. Non ce la farai.

Insisto. Ci scambiamo i numeri di cellulare. Aspetto che mi proponga di accompagnarmi a casa. Per un istante immagino come potrebbe essere se, una volta arrivati e prima che io scenda dalla macchina, dovesse eventualmente chinarsi su di me e baciarmi di striscio sulle labbra.

Ma Cristiano non mi propone di accompagnarmi a casa. Guarda l'ora e dice che deve correre in azienda prima che vada via quello che porta l'olio da Imperia. Mentre mi saluta esita e poi dice:

– Magari...

Aspetto. Scuote la testa.

– Niente. Ciao.

Da qui a via Varallo è una passeggiata un po' lunga ma bella, e la dedico a immaginarmi fidanzata per l'autunno, e installata in casa Castelli per Natale. Progetto di approfittare della mia datrice di lavoro per fare un bel divorzio giudiziario da Franco. Mi cullo in un confortevole dondolio di ottimismo e speranza, ma questo garbato movimento si trasforma in una scossa tellurica quando vedo, appoggiato al cancelletto di casa, l'uomo piú bello del mondo.

Ascanio Frangipani

L'uomo piú bello del mondo è Tommaso Castelli, che non assomiglia né a sua madre né a suo padre, bensí a un bisnonno dal lato materno, Ascanio Frangipani, morto giovane in duello, ucciso dal marito della sua settima amante di quel mese. Non c'è tempo, purtroppo, di raccontare la splendida e breve vita di Ascanio Frangipani, perché mentre Tommaso studia l'approccio migliore alla ragazza che deve derubare, arriva una tipa con i capelli rossi, molto carina, che gli chiede conto della sua presenza.

– Cercavi qualcuno?

– No, per la verità io... ero interessato a quelle vetrate.

Per fortuna, la casa di via Varallo presenta, in un angolo del cortiletto, due vetrate multicolori, di quelle che in epoca liberty si sovrapponevano ai vetri normali delle finestre. Staccate e abbandonate nell'erba, stanno lí ad accogliere passeggiate di lumache e assalti di libellule. Tommaso le ha notate al volo arrivando, ed ecco che si dimostrano utili.

– Interessato in che senso?

– Ecco... mi servirebbero per la chiesa di uno zio.

Adele è comprensibilmente incuriosita dalla risposta, che è un perfetto esempio della creatività spiazzante di Tommaso, uno che ha sempre saputo raccontare bugie non banali.

– Tuo zio ha una chiesa?

– Sí, beh, non è che sia sua... mio zio è prete in un paesino, e la loro chiesetta, sai com'è, è piuttosto spoglia. Quando ho visto quei pannelli, ho pensato che sarebbero perfetti per ravvivarla. Hai presente, la prima messa del mattino, la luce dell'alba che illumina i fedeli di buonora attraverso quelle vetrate, disegnando rombi e strisce multicolori sul volto ancora assonnato dei paesani...

Affascinata, Adele senza neanche accorgersene ha aperto il cancello, e sta avviandosi alla porta, seguita da Tommaso. Da dietro la casa arrivano di corsa Zarina e Jezebel, ma Jezebel non è ancora pratica di corsa, e cade gommosamente sui lastroni. Non strilla, ma Tommaso se ne accorge, la solleva velocissimo e le sorride. Per Jezz, la giornata si trasforma in un mondo meraviglioso.

Eva compare sulla porta, e vede sua figlia in braccio a un tipo alto con i capelli lunghi e di uno strano colore biondo, ma non un biondo catalogabile, il naso perfetto, occhi turchesi, perché proprio non si saprebbe come altro definirli, e un sorriso parecchio indimenticabile. Vicino a lui c'è Zarina che uggiola d'amore e Adele che sembra trasfigurata.

– Salve.

– Ciao Eva... questo signore vorrebbe vedere le vetrate, quelle là.

Eva lo guarda, e prova una sensazione di fastidio. Qualcosa, in quel tipo, la disturba. Allunga le braccia per recuperare Jezz, e lui gliela porge senza fare commenti. Non dice «Che bella bambina» o «Proprio simpatica» o un'altra frase che ci si potrebbe aspettare in queste didascaliche circostanze. Gliela dà e basta, con un mezzo sorriso calcolato al millimetro, e dice:

– Buongiorno. Mi chiamo Manuel De Sisti, passavo qui davanti e ho visto le vetrate.

Pausa. Eva non dice niente. Aspetta. Passava di qua, ha visto le vetrate e?

Tommaso la sa piú lunga di lei. Continua a tacere, ma il suo sguardo diventa interrogativo e lievemente preoccupato. «Possibile che tu sia muta?» sembra dirle, con quegli occhi iridescenti.

– Ciao. Io sono Eva. Quindi? Le vetrate cosa?

– Molto lieto di conoscervi, Eva e... – Tommaso si volta verso Adele, con gioiosa aspettativa. Adele ha l'impressione che sapere il suo nome sia in quel momento determinante per il benessere di quel giovane uomo.

– Adele.

Lui non dice nulla, e le rivolge un sorriso formato privato, che comunica: «Questo non è un generico sorriso di buona educazione. Questo sorriso è mio e tuo soltanto, è l'anticipo di un rapporto unico e speciale che instaureremo non appena ne avremo l'occasione e cioè prestissimo».

Senza rivolgersi in particolare a una delle due, Tommaso prosegue: – Come dicevo, se fosse possibile vorrei acquistare quelle vetrate.

Ripete la storia dello zio prete. Adele fa gli occhi minacciosi a Eva: non vuole vendere quella stupida catenina? Okay. Ma le vetrate, almeno quelle, sí.

– Devo chiedere a mia zia, – risponde Eva.

– Ah... non sono tue?

– No, sono di mia zia, che al momento è in un convento di oblate brigidine. Non hanno il telefono.

Tommaso è molto colpito da questa informazione.

– Che curiosa coincidenza! Io ho uno zio prete, e tu hai una zia suora!

– Quindi? Che facciamo? Ci sposiamo?

Tommaso non ama essere schernito, e comincia a capire l'astio di sua madre nei confronti di quella ragazza incantevole.

– Per il momento, mi basterebbe comprare le vetrate.

– Senti, se mia zia dovesse mettersi in contatto con me, ti faccio sapere.

– Non hai modo di cercarla tu? Sai, mio zio prete fa gli anni il 20 aprile, e volevo regalargliele per il compleanno.

– Non ho modo.

I due si guardano a muso duro. La corrente di reciproca diffidenza e antipatia è molto viva. Jezz li osserva preoccupata. A lei il tipo piace, e anche molto. Per farlo capire alla mamma prima che ci litighi, si allunga a tuffo e gli afferra una ciocca di capelli, pronunciando con chiarezza la sillaba: – Mo!

– No, Jezz, non è tuo –. Eva le rivolge un'occhiataccia. Jezebel non ha gusto. Va matta per Adele, che la schifa, mentre, ad esempio, non sopporta Gigio, il cantante degli Arturo, nonostante sia un po' il Leone Aslan dell'hardcore Torino.

– Va bene. Allora aspetterò. Ti proponevo trecento euro.

Eva riflette e poi fa notare: – È tanto, per un regalo allo zio.

Tommaso riflette pure lui. Non deve assolutamente dare l'impressione di essere uno che ha i soldi. A questa ragazza i tipi coi soldi non piacciono.

– Siamo dieci cugini. Trenta euro a testa. Purtroppo nessuno di noi è ricco.

Rilassato, le spalle morbide, in souplesse perfetta, Tommaso accetta il breve saluto brusco di Eva che rientra in casa, e si rivolge ad Adele, che ha seguito il dialogo sulle vetrate senza capirne una parola, assordata dalla bellezza di Manuel De Sisti.

– Adele Adele. Allora. Sei sposata o posso invitarti a uscire?

Silenzio.

– Passo a prenderti domani sera verso le dieci?

– Per andare dove?

– Ma sono domande da farsi? Quant'è che non esci con un uomo?

Adele s'inalbera e ritrova in parte se stessa.

– Sono domande da farsi. Se mi proponi un rave in Val di Susa, la risposta è no.

– Ti propongo il Polythene Pam.

Adele non ha la minima idea di cosa sia il Polythene Pam, ma non vuole sfidare oltre la fortuna. Se lui le avesse proposto un rave in Val di Susa travestiti da criceti, avrebbe comunque detto di sí.

– Mamma? Ho stabilito il contatto ma forse devi sganciare trecento euro.

– Ah sí? E come mai?

– Ho dovuto dirle che volevo comprare certi vetri colorati che ha in giardino.

– Non avrà un soldo da me.

Tommaso sbuffa. È ancora avara. Gli anni passano, e di sicuro Clotilde, non essendo stupida e leggendo poesie a perdifiato dal mattino alla sera, avrà una vaga percezione del fatto che il suo tempo non sarà eterno. E che i suoi soldi ormai le basterebbero ampiamente anche per parecchie spese scriteriate, dovesse pure vivere quanto la Levi Montalcini. Che trecento euro non cambiano di un solo puntino il quadro della sua disponibilità economica, neanche l'avesse dipinta un divisionista. E invece niente, sua madre è sempre la stessa, e gli fa girare le scatole come gliele ha fatte costantemente girare dai sei anni in poi.

Oltretutto, lui non ha mai avuto la minima intenzione di dare i trecento euro a Eva. Anche perché, avendo agganciato l'amica, l'acquisto delle vetrate diventa superfluo. La sua intenzione è d'intascarseli, e aggiungerli all'anticipo di cinquecento euro che sua madre gli ha dato quando hanno stipulato il loro contratto di collaborazione, articolato nei seguenti punti:

a) Tommaso ruberà la catenina a Eva.

b) Clotilde ricompenserà Tommaso con euro cinquemila.

c) Mai, per nessun motivo, Cristiano dovrà essere messo al corrente di questo accordo.

– Senti qua, devo darglieli, altrimenti i rapporti si fanno spinosi. Passo a prenderli piú tardi.

Tommaso riattacca, e Clotilde fuma di rabbia. Sta fumando di rabbia da ore, per la precisione da quando Tommaso si è rifiutato di aiutarla per amore o dovere filiale, e ha preteso l'esorbitante cifra di cinquemila euro. Che peraltro Clotilde non ha nessuna intenzione di dargli. Quando Tommy le riporterà la catenina, gli farà un assegno su un vecchio blocchetto di un conto chiuso da anni.

E adesso, vediamo di capire come mai questo giovane uomo si fa chiamare Manuel De Sisti, suona il piano nei villaggi vacanze, è disposto a derubare le ragazze a pagamento e vive a Follonica. Tutto questo si comprenderà conoscendo la storia personale di Tommaso Castelli.

Tommaso Castelli

Quando è nato Tommaso, suo fratello Cristiano aveva tre anni. Ha visto quel bellissimo bambino in mezzo ad altri venti nella nursery della clinica e l'ha amato senza riserve. Questo, piú o meno, è quello che succede a tutti quelli che lo conoscono. Poi lo conoscono meglio e, se non sono donne, smettono di amarlo senza riserve. Anche Cristiano ha smesso, quando Tommaso aveva circa sedici anni e gli ha fregato Veronica, la sua fidanzata, in meno di mezza giornata. Suo padre ha smesso quando Tommaso aveva diciotto anni e gli ha schiantato una Mercedes, ma non schiantato normalmente, gliel'ha schiantata contro la Jeep, sempre sua, riuscendo a distruggergli due auto in un colpo solo. Clotilde, che in generale non ha mai nutrito verso i suoi figli una di quelle passioni un po' traboccanti che caratterizzano tante donne, ha smesso con particolare vigore di amare Tommaso quando, a quattordici anni, lui l'ha sorpresa con uno dei suoi amanti nel capanno degli attrezzi (nonostante il nome, un luogo provvisto di divani) e l'ha fotografata, usando poi gli scatti per ottenere privilegi di vario tipo. Clotilde aveva trovato particolarmente fastidioso il fatto che Tommaso non le avesse chiesto soldi. Lo avrebbe capito. Mentre non capirlo era sempre stata una costante nei loro rapporti. Nel corso degli anni, molta altra gente aveva smesso di amare senza riserve Tommaso, ad esempio tutti i suoi professori (le professoresse avevano continuato), impegnati a bocciarlo nelle materie piú diverse. Il suo percorso di studi era stato un labirinto di guerra, contorto e pieno di esplosioni, e si era concluso con un nulla di fatto quando era morto Luigi Castelli. Tommaso aveva ventiquattro anni, Cristiano ventisette. In soli quattro anni, Tommaso aveva fatto fuori la sua parte di eredità, compresa la liquidazione di metà dell'azienda agricola, senza neanche impegnarsi tanto. Aveva semplicemente vissuto al meglio un giorno dopo l'altro, comprando tutto quello che gli piaceva, usando, consumando, senza mai fermarsi a possedere qualcosa che non si potesse spostare. Non aveva comprato case, aveva vissuto in hotel dal costo improponibile, aveva viaggiato su macchine meravigliose che dava via quando gli venivano a noia, e aveva regalato, perso, dimenticato in giro o si era fatto rubare infiniti oggetti costosissimi. Insomma, aveva scialacquato, e quando aveva finito di scialacquare, era diventato un nullatenente.

Senza slancio, giusto per non escludere nessuna possibilità, aveva tentato un minimo di carriera criminale, rubando sette uova Fabergé a un milionario russo. Incoraggiato dalla facilità di questo inizio, aveva subito provato a rivenderle a un milionario svizzero, che però purtroppo si era rivelato un ispettore della polizia di Losanna. Questo errore di giudizio gli aveva fruttato un breve soggiorno in prigione, che a Tommaso non era piaciuto per niente: quindi fine della carriera di fuorilegge.

Senza intristirsi, aveva rinunciato al lusso e alle illimitate possibilità. Aveva ristretto le proprie aspettative a una vita senza dolore, e le aveva realizzate diventando animatore e pianista nei villaggi turistici. Aveva cambiato nome su richiesta di sua madre, richiesta accompagnata da un assegno da diecimila euro, che gli avevano consentito un mese di vacanza. In effetti, le lezioni di piano erano l'unica forma di istruzione a cui si fosse docilmente sottoposto da bambino, e se avesse avuto un altro carattere, o altri genitori, o un'ispirazione improvvisa da corto circuito cerebrale, sarebbe potuto diventare Bollani, o anche solo

Giovanni Allevi. Invece è diventato il beniamino delle ingorde mogli brianzole e cuneesi che affollano ogni estate i villaggi della Toscana.

Che altro dire di lui? Nessuno conosce il suo cuore. Non è mai stato sposato. Non ha figli. Non ha relazioni stabili. È sempre di buonumore. Un giorno, qualcosa lo innescherà, ma per il momento è, come i vulcani, dormiente.

Spice Girls

Quel mattino, svegliandosi, Cristiano si rende conto di aver sognato l'amica di Eva Fasano. La ragazza con i capelli rossi e lo sguardo calcolatore. È molto che non sogna una ragazza, l'ultima dev'essere stata una delle Spice Girls. E dovendo proprio sognarne una, preferirebbe che fosse un po' piú simpatica di quella.

Per questo motivo, il giorno prima, al momento di salutarla non ha continuato la frase iniziata con «Magari...» Non ha aggiunto la logica conclusione, tipo: «... ci vediamo presto», «ci sentiamo stasera per una pizza», «ti chiamo per andare a vedere *Melancholia*». Si è inceppato perché gli è venuta in mente Lucia Garolli, e anche Carla Rocchetti. Gli sono venute in mente loro due, e anche altre rosse fuggevoli passate nella sua vita, e tutte, al pari delle capostipiti Carla e Lucia, delle vere bastarde. Gli spiace usare questo termine, ma è veramente quello giusto per definirle. Non stronze. Non avevano la pesantezza delle stronze. Erano affilate, come solo le bastarde sanno essere. Cattive dentro. Miserabili bastardelle che lo avevano fatto soffrire gratis, senza neanche ricavarne qualcosa di buono per se stesse. Un giorno, quando avesse finalmente incontrato la donna giusta per lui, possibilmente una bruna con i capelli corti, si sarebbe soffermato a riflettere sul perché le ragazze con i capelli rossi siano incapaci di comportarsi con la schietta lealtà che caratterizza altre tipologie di donna. Per il momento, si limita a non proporre loro di andare al cinema, a cena o a rotolarsi in spiaggia sotto la luna piena.

Cosí, seccato per aver sognato una donna con cui non potrà rotolarsi sotto la luna piena, Cristiano va alla finestra e guarda fuori, casomai ci fosse nel giardino di casa sua qualche gradevole passante. Abita in una villotta dei primi del Novecento ai margini dell'azienda agricola, e dalla finestra vede ondulazioni verdi, ortensie che mettono le gemme, calycanthus sfioriti, macchie di narcisi. E una Renault vecchissima, color cacca dorata, che sta arrivando lungo il vialetto, e che si ferma sotto la magnolia.

«Oh no, no», pensa Cristiano, che conosce quella macchina.

Apre la finestra proprio mentre suo fratello Tommaso spalanca la portiera e scende. Tommaso lo vede e sorride, con sincero entusiasmo.

– Ehilà, che fortuna. Pensavo di doverti svegliare col clacson.

Cristiano richiude la finestra, infila una maglia sulla canottiera di cotone, scende le scale, attraversa l'atrio piccolo e un po' buio come si conviene al primo Novecento nelle campagne piemontesi, e apre il portoncino.

Eccolo lí, il classico Tommaso: camicia di lino, abbronzato, capelli troppo lunghi.

– Che ci fai qui?

– Sto fra un contratto e l'altro.

– E allora?

– Niente. Pensavo di fermarmi un po' da te. Da mamma si sta stretti.

– Non vorrei sembrarti brusco, Tommy. Mi fa piacere vederti, ma l'ultima volta che sei stato qualche giorno qui te ne sei andato con metà delle tabacchiere di papà.

– La mia metà. Mica le ho rubate.

– Te le avevo pagate. Ti ho pagato la tua metà di tutto.

Tommaso alza le spalle, e gli sorride:

– Quanto ti sei inaridito, Cris. Che te ne fai di quelle tabacchiere? Dovresti venderti anche le tue. Pensa quanti... – Tommaso si ferma, non sa che cosa potrebbe volersi comprare Cristiano. – Pensa quanti piantini di spinaci...

– Ho già tutti i piantini di spinaci che mi servono.

– E allora sei un uomo fortunato. Sorridi. E comunque non preoccuparti, questa volta non mi porterò via niente. La vita va avanti, le cose cambiano, i rapporti si evolvono. Entro, che ne dici?

Cristiano si lascia prendere da quel senso di «Beh, dài, mica possiamo vivere sempre preoccupati» che emana costantemente da suo fratello. Si sente già un po' piú leggero, un po' meno responsabile.

– Eh sí, entra.

Tommaso va alla macchina e prende la sacca di pelle un po' sformata.

– Ma quella? Da dove salta fuori?

Cristiano indica la R4, la vecchissima macchina di suo fratello, di cui si erano perse le tracce da anni.

– L'avevo data a Elettra. Te la ricordi? Era l'unica che avesse un garage veramente grande, sai, suo padre era quello che si fabbricava le Porsche con le scatole di montaggio.

– Me la ricordo, Elettra. Mi piaceva.

Tommaso rimpiange di averla citata. Ci tiene a essere in buoni rapporti col fratello, al momento, e quindi deve evitare di ricordargli le ragazze che gli ha fregato, a cominciare dalla famosa Veronica del liceo.

– Sí, beh, dovresti vederla adesso, ha preso venti chili. Comunque me l'ha tenuta bene, va ancora alla grande. Certo che è brutta, eh? È una delle poche che piú passa il tempo e piú diventa brutta. Nessuno ha nostalgia delle R4 di questo colore. Però il cambio al volante è veramente comodo...

Cristiano non lo ascolta piú, rientra in casa seguito dal fratello, che si guarda intorno tutto contento.

– Ehi, ma è una bellezza, questa casa. Non me la ricordavo cosí confortevole. Bravo. Camera mia c'è sempre?

– C'è, ma non è piú tua. È diventata la camera degli ospiti.

– E non sono forse un ospite? Bene, allora se non ti dispiace andrei a dormire due ore.

Tommaso si avvia verso le scale, sbadigliando.

– Io tra un po' esco. A pranzo non ci sono.

– Io neanche. Ho bisogno di dormire. Mica me l'ha ridata gratis la macchina, Elettra.

– E i venti chili in piú?

Tommaso si ferma lungo la scala, si volta e ride, e per un attimo Cristiano si ricorda di quell'antico amore senza riserve.

– Alcune donne beneficiano della mia fantastica immaginazione.

– E cosa immagini? – gli grida dietro Cristiano. Gli risponde soltanto un sommesso fischiettio, forse Satie.

Adele. Pietro Micca

Immagino che sia andata un po' cosí anche con i dinosauri, Atlantide e tutto il resto. Per un sacco di tempo tutto è filato liscio, poi sono cominciati gli scossoni e in un momento sono crollate scaglie e guglie d'oro, e il mondo conosciuto si è ribaltato come una frittella. In fondo, è logico, tento di consolarmi mentre frugo frenetica nelle mie due valigie, cercando qualcosa da mettermi stasera. È logico che una vita sconvolta continui a sconvolgersi. Non posso tornare alla normalità, perché mio marito è ancora in un territorio imprecisato e lontano (ma da certe allusioni di Ruggero, credo sia il Kazakistan, e cosí impara, quel deficiente), la mia casa è ormai saldamente in mano alla signora Mongilardi che la starà riempiendo di poltrone con lo schienale elettronico. Il mio solito viaggio di primavera in una capitale europea è saltato (che peccato, quest'anno doveva essere Budapest) e se voglio rivedere il mare dovrò fare una di quelle gite coi pullman delle pentole facendomi passare per settantenne e non sarà neanche tanto difficile. Quindi, non potendo piú essere me stessa, non è poi cosí strano che io mi sia innamorata a perdifiato di Manuel. Era nell'aria, secondo me. Forse l'amore è una specie di corollario inevitabile della povertà. La donna povera, non avendo altri passatempi interessanti, si innamora. Fatto sta che adesso io non desidero altro che rivedere Manuel De Sisti, e possibilmente baciarlo e iniziare con lui un rapporto molto passionale.

Chissà dove abita, chissà che lavoro fa, chissà se è già sposato, chissà se vado a cacciarmi nel classico guaio riservato alle trentaduenni che si innamorano per la prima volta in vita loro.

Scelgo un insieme di indumenti bianchi e neri, li sovrappongo, mi guardo allo specchio e penso che queste belle cose di lino e di cachemire, di cotone, di seta, sono gli ultimi filamenti di lusso che scintillano ancora debolmente nella mia vita. Quando vado per strada, per adesso, sembro ancora ricca: belle scarpe, bella borsa, e intorno a me la pregiata nuvoletta creata dai miei profumi dell'Olfattorio. Sono come quelle stelle che continuano a luccicare per un po' anche quando non esistono piú.

Quando scendo, Eva sta riempiendo la ciotola di Zarina. Jezz sta succhiando una carota, seduta per terra, e gioca con alcune piccole teiere e un paio di tazze. Sta preparando il tè per Guercio, evidentemente. Guercio sembra che stia per ruttare da un momento all'altro.

– Come ti sembro? – chiedo a Eva, che si gira a guardarmi e annuisce.

– Fighissima. Fai attenzione, però, perché quello a me mi dice male.

– Chissà perché, poi. Invece di mollargli quelle stupide vetrate e prenderti trecento euro. Non ti servirebbero, scusa?

– Mi servirebbero. Abbiamo ottanta euro di bollette da pagare e devo comprare i pannolini.

I pannolini sono l'unica cosa nuova che entri nella vita di Jezebel. Non credo che abbia mai avuto un vestito che non sia stato prima di qualcun altro. Adesso ha un maglioncino blu tutto rimboccato, sarà almeno misura tre anni, una calzamaglia un po' infeltrita e un bellissimo fiocco rosa in testa. La guardo.

– Scusa, Eva, ma tuo padre, tuo fratello non regalano mai niente a Jezz?

– No. Mia cognata mi ha passato i vestiti smessi di Susina, ma solo quelli brutti. Quelli belli li tiene dentro gli scatoloni, tutti infilati fra fogli di carta velina.

Zarina mangia con entusiasmo. Non sa che, una volta finito il saccone di Tonus Complet, anche per lei cominceranno i tempi duri. Pane secco? Avanzi di semolino? Mele rugginose cadute dal solitario melo non commestibile che cresce nel giardinetto?

Al Polythene Pam si consumano grandi coppe di gelati alcolizzati, e si ascolta musica per adolescenti. La luce è azzurrina, e c'è un vago profumo di erba limoncina. Al Polythene Pam ogni tanto si fa tutto buio, e si illuminano stelle e lune sul soffitto, ed è quello il momento in cui i clienti si baciano. Manuel mi bacia. Prima, mi ha parlato un pochino di sé, ma proprio poco. È di qui ma vive a Follonica, al momento sta da un amico, di lavoro fa l'animatore nei villaggi, gli piace suonare il piano e... – Sei della Stasi? No? E allora prendi un'altra Fragolata Killer –. Non prendo un'altra Fragolata Killer ma rinuncio a fargli domande. Del resto, anch'io gli dico poco di me. Ho l'impressione che meno parlo e piú gli interesso. Ho l'impressione che il tempo per parlare, fra noi, verrà fra quaranta o cinquanta mesi, non appena la prima ondata di cieca brama si sarà leggermente placata. E quando mi bacia, al primo buio istituzionale, ho la conferma. La serata parte a gran velocità verso la conclusione.

– Dove mi porti? – gli chiedo, mentre mi trascina verso la sua orribile macchina parcheggiata sulle strisce in via Pietro Micca. Infilata sotto il tergicristallo c'è una multa e lui neanche la legge, la butta direttamente via. Mi batte il cuore a mille perché anch'io faccio sempre cosí con le multe. Non le guardo neanche. Le odio. Le pagherò, ma intanto le odio, non le guardo, le butto, le straccio, se avessero un po' piú di consistenza le prenderei a calcioni.

– A casa tua, – risponde lui, e mi bacia.

– No. Dài, andiamo da te. A casa mia ci sono Eva e la bambina...

– Ce l'avrai una camera, no?

– Sí, ma...

– Da me non si può. Dormo in salotto, dal mio amico.

Quindi è veramente povero. Ha uno zio prete, non ha soldi, non posso sposarlo. Posso tutt'al piú concedermi un breve amore con lui, da ricordare con tenerezza quando sarò sposata con Cristiano Castelli. Mi vedo viaggiare verso Budapest su un treno dotato di Prima Classe Lusso Ambience Exclusive Very Smart, piluccando salmone tra una pagina e l'altra di un appassionante romanzo indiano e ripensando, con una intensa ma sopportabile fitta al cuore, ai dolci giorni dell'amore con Manuel.

Intanto siamo arrivati a casa, c'è buio, nella stufa gli ultimissimi bagliori rossastri, Zarina dorme lí davanti, e quando entriamo si agita, uggiola, viene alla porta, mi riconosce, controlla Manuel, torna a sdraiarsi. Saliamo le scale piano, e raggiungiamo finalmente la superficie liscia e comoda del mio letto.

E mentre Manuel si e mi spoglia, penso che è stato un po' complicato e faticoso arrivarci, c'è stato bisogno di truffe, fallimenti, ragazze bielorusse, cani, mio cognato Ruggero, l'egoismo di mia madre, una sosta casuale in autogrill, ma alla fine anch'io sperimenterò queste famosissime e a me sconosciute gioie dell'amore.

Antonio Gramsci

Facciamo un passo indietro, questa cosa che nella vita tanto desideriamo a volte, e mai possiamo fare, perché è impossibile tornare indietro anche solo di un miserabile secondo, tocca andare sempre avanti, e neppure si può rallentare o frenare, insomma, qui invece si può, e dunque facciamo un passo indietro, e vediamo come trascorrono questa stessa serata i coniugi Gambursier.

Intanto, non insieme. Nel corso dell'anno, di serate insieme ne trascorreranno una trentina, nelle altre trecento e piú, ognuno si fa i fatti suoi, e in particolare se li fa lui, Umberto, che questa sera troviamo infatti al centro sociale Montezuma. No, anzi, troviamolo prima, mentre si prepara ad andare al Montezuma. Eva gli ha raccomandato di vestirsi da alternativo, e Umberto ha annuito senza badarle, troppo contento di riavere la sua patente, che l'Arcivescovo gli ha consegnato in cambio di un gentile contributo finanziario al benessere della diocesi e suo personale. Adesso però, solo di fronte al suo sterminato guardaroba contenuto in una cabina armadio grande come la scuderia del Settimo Cavalleggeri, Umberto ricorda quelle parole, e chiama in tutta fretta la governante.

– Ernesta, questa sera devo recarmi in un locale alternativo chiamato Montezuma. Che abbigliamento mi consiglia?

Ernesta percorre velocemente i meandri e i vicoletti di abiti e indumenti in infinite sfumature di blu, grigio e marrone, e scuote la testa.

– Lei non ha niente che vada bene, conte.

Il conte si acciglia. Sono le diciannove e trenta, troppo tardi per andare a comprare qualcosa di adatto.

– E come faccio? La mia amica mi ha detto che in questo locale non si può andare vestiti come me.

– Non è un locale, conte. Aspetti, che forse posso trovarle qualcosa.

Umberto aspetta, e mentre aspetta riflette sul fatto che anche Ernesta, come sua moglie Marta, è una donna di grande utilità. Sentendosi di buonumore perché quella sera debutterà finalmente nel mondo punk, e conoscerà la Pasti, il conte si concede qualche momento di speculazione astratta, e si chiede come sarebbe la sua vita se Ernesta fosse sua moglie e Marta la sua governante. Sarebbe diversa o pressappoco uguale? Marta sarebbe una brava governante? Ernesta sarebbe un buon avvocato?

È bello abbandonarsi alla teoria, in un inizio di serata primaverile, ma esagerare può provocare mal di testa. Per fortuna questo non avviene, perché Ernesta è già di ritorno con un paio di vecchi pantaloni neri, delle scarpe da ginnastica sporche e una felpa grigia con la scritta SKIN RAZOR in viola.

– Metta questi. Sono dell'aiutante del giardiniere. Sa, Julian. Quel ragazzo rumeno con la cresta. Ha piú o meno la sua taglia.

Il conte li guarda, muto, ed Ernesta equivoca.

– Sono puliti. Gli faccio le lavatrici. È un bravo ragazzo.

Ma Umberto non si pone problemi igienici. È muto dalla gioia, semplicemente. Sta per indossare autentici indumenti punk.

E infatti al Montezuma lo fanno entrare senza problemi, anche perché è presentato da due frequentatrici abituali come Eva e Jezz. È fortunato, anche, il conte Gambursier, perché dopo neanche mezz'ora che sono lí, e lui guarda e tace (gliel'ha detto Eva, di non parlare: «Altrimenti tutti capiscono subito che è uno straniero»), arriva proprio la Pasti, che stasera non canta. Umberto prende da parte Eva e le pone una domanda piuttosto sensata: – Come faccio a baccagliare la ragazza se non posso parlare?

– Le dica che è un giornalista o roba del genere. Abbocca subito.

E cosí, Umberto Gambursier si avvicina alla Pasti, una virago alta un metro e ottantacinque, con scarponi, piercing, tatuaggi e una benda sull'occhio (solo per scena, ci vede benissimo), e si presenta: – Ciao, sono un giornalista di... – grande vuoto. A Umberto non viene in mente nessun giornale. Cioè, nessuno tranne... – «Sport Equestri». Posso intervistarti? Vorremmo fare un articolo su... – cerca disperatamente un aggancio fra gli sport equestri e l'hardcore, ma non ce n'è bisogno, perché la Pasti adora essere intervistata, da chiunque per qualunque giornale, e lo prende per una manica, felice.

– Cammina, uomo, e ascolta questo perché te lo dico una volta. La nostra linea diritta corre in mezzo al nero mentre attraversiamo città mute come fantasmi della trasgressione.

– Ah. Bene. Posso offrirti da bere?

– Certo! Di cosa vogliamo parlare? T'interessa il mio percorso vocale contro la monotonia dell'intonazione?

– Caspita. Dove si ordina da bere?

– Ordina? Ma sei scemo.

Si ordina invece da bere, e si viene serviti quasi immediatamente, nella cordiale vineria del Quadrilatero dove Marta e Clotilde vanno a fare due chiacchiere dopo essere state a teatro. La visione di *Casa di Bambola* con Valeria Marini, regia di Andrea Bocelli, non le ha messe troppo di buonumore, e Marta teme fortemente che da un momento all'altro Clotilde attacchi con qualche poetessa serba. Per evitarlo, spara la ghiotta novità, proprio mentre arrivano due calici di Müller-Thurgau accompagnati da rotolini al lardo stuzzicato.

– Ah... tienti forte. Tu Sai Chi ha detto alla Pastelli che non vuole piú scrivere Dany Delizia.

Dopo un quarto d'ora a base di gridolini di sorpresa e recriminazioni, Clotilde assimila la seconda parte della notizia, e cioè che le avventure di Dany Delizia e delle sue amiche Pippa e Zaffiria continueranno, ma sarà qualcun altro a scriverle.

– Ma chi? Chi? Non è una cosa che s'improvvisa... bisogna conoscerle intimamente... bisogna esserci dentro...

Clotilde si sbatte da una parte all'altra come un palmizio in caso di föhn, atterrita all'idea che qualche incompetente s'incarichi di questo delicato compito, ed è allora che Marta dimostra ancora una volta di avere una mente veloce, perché fa un breve calcolo e le chiede, molto a proposito:

– Scusa, perché non le scrivi tu?

Clotilde resta fulminata.

– Io? Tu sei pazza. Quelle stupidaggini.

– Ma se sono la tua passione.

– Un conto è leggere, un conto è scrivere. Anche Gramsci leggeva la Invernizio, ma ha forse mai scritto *La figlia della portinaia*?

– E chi lo sa? Non siamo al corrente di tutto quello che ha fatto Gramsci.

Le due amiche tacciono per un attimo, rivolgendo un affettuoso pensiero all'omino sardo con gli occhiali, poi Marta riprende:

– Pensaci. Tu sai scrivere. Tu conosci perfettamente la materia. Tu hai me, che ti aiuterei a mantenere il piú rigoroso anonimato, trattando direttamente a nome tuo con Maria Consolata. Sarebbe una passeggiata. E ti faresti un mucchio di soldi.

Alla parola «soldi», Clotilde salta di cinquanta centimetri sulla sedia. Questa serata a teatro doveva servire ad allontanare dalla sua mente almeno per un po' il pensiero fisso di Tommaso e del medaglione. E in effetti, dal momento in cui si era seduta in platea al Carignano, e aveva visto la Marini entrare in scena affannata accompagnata dalle note della *Lucia di Lammermoor* rimixate, era stato facile dimenticare tutto tranne l'affanno presente. Ma adesso ricorda. E scuote le spalle di Marta che sta placidamente ingurgitando l'ultimo rotolino.

– Devo andare a casa subito. Non posso spiegarti. Presto!

Lauretta

Dopo averle dato ciò che voleva da lui con grande abbondanza e varietà, Tommaso rimbocca Adele sotto uno dei plaid patchwork dell'oblata brigidina e scende in cucina a preparare una tisana per entrambi. Non essendo sicuro che in quella essenziale dimora ci fossero tisane ne ha un paio di bustine in tasca, di quelle un po' amarognole nelle quali meglio si dissimulano additivi chimici. Adele non ha avuto problemi a credergli, quando lui ha affermato con rara faccia tosta che a quell'ora della notte beve sempre una tisana alla verbena, liquirizia e radice di nasturzio.

La radice di nasturzio l'ha aggiunta apposta all'elenco degli ingredienti per giustificare il sapore sgradevole del sonnifero.

Quando lui propone di scendere a preparare la tisana, Adele la trova una splendida idea. Questo vuol dire che Manuel non ha intenzione di vestirsi in fretta e furia e scappare.

E in effetti Tommaso non ha questa intenzione. Aspetta con calma che Adele svuoti la sua tazza di tisana corretta, e quando crolla addormentata di un sonno spesso, resta in attesa per qualche minuto e la osserva. Carina. Forse la migliore, di quest'ultimo periodo.

Poi si alza piano ed esce dalla stanza. In mano ha una bottiglietta e un pezzo di cotone. Un lievissimo contatto con pochissimo cloroformio gli permetterà di prendersi la catenina anche se Eva l'avesse ancora al collo. Se invece se l'è tolta e l'ha posata sul comodino, beh, meglio per lei.

Eh no, non l'ha tolta. Dorme intabarrata nelle coperte, solo la faccia spunta, e quel po' di collo che gli permette di individuare l'oggetto da asportare.

Tommaso la guarda, e non si accorge dei minuti che passano. La guarda perché gli ricorda qualcosa, qualcosa di vivido, che se ne sta chiuso in mezzo al suo cuore, come un pezzetto di zucchero. Una faccia di un quadro? Un angelino di Botticelli, di quelli minori, nell'angolo di una grande Natività? Una sua compagna delle elementari? Come si chiamava... Lauretta, si chiamava Lauretta, stava nel terzo banco e aveva sempre le dita appiccicose di chewing gum... O un suo disegno? Un disegno che lui, Tommaso, ha fatto a cinque o sei anni, quando gli era stato chiesto di disegnare Gesú Bambino. Tommaso non sa di preciso cosa cosí prepotentemente lo attiri e lo disturbi in quell'Eva addormentata, ma sente un fruscio alle sue spalle e si volta veloce come un mandingo nella foresta. La bambina è in piedi nel suo lettino, attaccata alle sbarre. Lo guarda. Non piange, e non è spaventata. Gli sorride e trilla.

Adele. Hu

Quando mi sveglio e non c'è traccia di Manuel, non posso dire di stupirmi piú di tanto. Per una volta che mi batte il cuore e mi pulsa il sangue, per una volta che passare la notte con un uomo presenta perfino degli aspetti davvero piacevoli, figuriamoci se al mattino me lo trovo accanto che mi guarda incantato e sussurra: «Come sono belle le tue ciglia mentre dormi». Niente, andato, sparito, neanche un bigliettino, un petalo di rosa sul cuscino, una scritta col gesso sul cancello, un minimo segno che indichi la sua intenzione di rivedermi. Per lui sono stata lo spasso (speriamo almeno che sia stato uno spasso) di una notte. In fondo, cosa ne so di lui? Probabile che a Follonica abbia una moglie sciupatella e due figlie leziose senza i denti davanti.

Mentre ci facciamo il caffè, cerco di coinvolgere Eva: già che vivo con una coinquilina come una studentessa universitaria, tanto vale assaporare un po' di quella complicità femminile che ormai le mie amiche ricche fanno fatica a dispensarmi. Ma non è facile attirare in discorsi sentimentali una giovane donna concentrata che sta cercando di fare l'orlo a un paio di jeans. Ne ha una pila accanto a sé sul tavolo, e manovra con buona volontà una Singer portatile.

– Capisci? Io potrei forse innamorarmi per la prima volta in vita mia, e lui se n'è andato senza neanche svegliarmi.

– In quello è stato gentile. Ti ha rubato niente?

– Rubato? Come ti viene in mente?

– Mi viene in mente perché lo fanno. Una volta un ragazzo che sembrava un angelo tipo Edward mani di forbice è venuto a casa con me, e al mattino non c'erano piú né lui né lo stereo.

– Avevi uno stereo? – chiedo interessata.

– Non era mio. Era di mio fratello. Me l'aveva prestato perché davo una festa. Mia cognata si è incazzata a palla.

Piú ne sento parlare, di questa cognata, piú mi fa venire in mente Guenda. Esisteranno anche cognate adorabili, ma certo io non ne conosco.

– Va beh, comunque Manuel non ha rubato niente.

Non mi dispiacerebbe aggiungere «tranne il mio cuore», ma c'è un limite anche alla melensaggine causata da mancanza di mezzi. Eva osserva soddisfatta il primo orlo fatto.

– Non è detto, comunque. A volte spariscono, ma dopo si fanno vivi. Ci ripensano. I maschi ci mettono un po' a capire le cose. Cioè, ad esempio, anche se s'innamorano, non è che se ne accorgono subito. Credono di non stare bene, tipo di aver mangiato troppo...

– A te è mai successo? – le chiedo. – Che uno capisse di amarti al rallentatore?

– A me l'amore non interessa, però avrei voluto che capitasse almeno a uno dei padri di Jezz, ma per lei piú che altro. Mi sa che un padre le piacerebbe.

La guardiamo trascinarsi sul sedere verso la porta, accompagnata da Zarina.

– Dovremmo metterle delle ruote, – rifletto. Eva non risponde, ho notato che fa cosí quando dico delle stupidaggini, ma non per essere sgarbata, o per snobbarmi, semplicemente lei non parla mai a caso.

– Cosa stai facendo? – le chiedo.

– Devo fare l'orlo a settanta paia di jeans. Due euro a orlo. Per i cinesi.

– Che cinesi?

– Quelli di Mondo Shu-ji, sai, quei negozi che vendono tutto.

Li conosco per sentito dire, ma non li ho mai frequentati. Molto presto, però, diventeranno l'unico genere di esercizio commerciale che mi potrò permettere.

– Credevo che i cinesi se la vedessero sempre fra loro.

– Piú o meno, ma io conosco bene Hu, il figlio del padrone. Una volta gli ho salvato la vita, nel senso che era ubriaco nella galleria sotto corso Massimo e io passavo con un rimorchio e non l'ho investito, e mi sono pure fermata e l'ho caricato. Pesava un casino, per essere cinese.

– Beh, allora potrebbe pagarti un po' meglio. Due euro a orlo fa schifo.

– Però la macchina da cucire me l'ha prestata lui.

La osservo. Lavorare, lavorare, lavorare. Quella ragazza non fa altro.

– Hai una sigaretta? – le chiedo.

– No. Ma fumi?

– Voglio cominciare. Devo abbattere il nervosismo. Non vedo vie d'uscita, pure con l'amore mi è andata buca.

Eva ride a squarciagola: – Ma dài! Che ti importa dell'amore! Non volevi cercarti un altro ricco da sposare?

– Veramente l'avevo pure trovato.

Mi chiedo come la prenderà, quando saprà che l'uomo su cui avevo messo gli occhi prima che l'amore me li accecasse è proprio quello che vuole portarle via il medaglione della buona fortuna. E decido di scoprirlo subito.

– Sarebbe Cristiano Castelli. Il figlio della tipa del medaglione.

Eva smette di cucire e si tocca subito la catenina.

– Ti piace quello lí?

– Ho forse detto che mi piace? Ho detto che potrei sposarlo. È ricco, ricchezza solida, non questi soldi recenti degli imprenditori, soldi di famiglia. È scapolo, non è nemmeno fidanzato, sarebbe perfetto. Dovrei solo lavorarmelo un po'.

Eva mi guarda con sospetto: – Per lavorartelo un po' intendi che mi fregherai questo e glielo darai per sua madre?

– Sarebbe una pessima mossa. Se facessi una cosa del genere mi disprezzerebbe.

– Ah. Meno male.

– E comunque non la farei.

Nessuna delle due commenta questa mia affermazione. Eva taglia il filo e osserva i jeans. Professionali.

Malefica

La famosa furia infernale della donna disprezzata che tanto esaltava Shakespeare è un capriccetto da Hello Kitty in confronto alla furia dell'esperta di poetesse serbe a cui viene detto: – No, non l'ho preso –. Tommaso riesce a evitare la parte peggiore di questa tregenda comunicando la cosa per telefono, e mentendo a manetta.

– Non ce l'aveva, ma'. Ho provato pure a chiederle. Le ho detto una roba tipo: carina, quella collanina che avevi l'altro giorno. Lei è stata zitta, ma la sua amica, la ragazza con cui esco, mi ha detto che non la porta piú perché un tipo ha cercato di comprargliela e lei ha paura che gliela freghino. Tutta colpa di Cristiano, l'ha messa in allarme.

– Quel deficiente, quell'imbecille perso, sempre stato identico a vostro padre.

– Sí, però non importa. Non ti agitare, continuerò a bazzicarla finché non ne vengo a capo. Tranquilla.

Per sapere come ha reagito Clotilde a questa notizia, è sufficiente procurarsi il dvd di *La bella addormentata nel bosco* e andare al punto in cui Malefica si arrabbia col corvo.

Siccome però, per motivi suoi, ci tiene a mantenere un basso profilo riguardo ai suoi sentimenti nei confronti di quel medaglione, chiude col chiavistello la furia disney/shakespeariana nel cuore e si limita a sbuffare tanto da scoperchiare la cornetta del telefono (fisso, anni '60, un vezzo), e a ingiungere al figlio di cercare almeno una volta nella vita di portare a termine un impegno.

Tommaso assicura che lo farà, ma siccome ha le idee un po' confuse riguardo a questo incarico, e complessivamente nelle ultime settimane ha dormito pochissimo, decide di staccarsi dal mondo per dodici ore. Spegne tutto, chiude le imposte gozzaniane della sua ex stanza, ora camera degli ospiti, chiude anche la porta, si spoglia, s'infila fra le lenzuola fresche e sotto il piumino primaverile, e si addormenta.

A breve distanza, in uno dei campi che costituiscono l'essenza e il vanto dell'Azienda Agricola Castelli, suo fratello Cristiano osserva con amore file e file d'imminenti zucchine. Tra pochi giorni verranno spiccate ancora giovani, tenerissime, di quel verde limpido ma lontanamente tinto di azzurro che soltanto le giovani zucchine sanno sfoggiare, e poi finiranno, pagate a peso d'oro, negli scatoloni del Prendi e Taci, accompagnate dal Foglio Spesa della settimana, in cui è fornita la ricetta delle deliziose frittelle di zucchine. Accanto a lui c'è Maria Bergamini, la sua collaboratrice domestica, una signora sessantenne appassionata di cibo sano, che fino all'ultimo si batte perché la Ricetta della Settimana non sia fritta.

– Proponiamo gli sgonfiotti di zucchine e sogliola nana al vapore, – insiste, ma Cristiano sbuffa.

– Basta col vapore, Maria. Il vapore non è vita. E basta anche con la sogliola. La sogliola al vapore e la carta assorbente che ha preso un po' di pioggia sono in-di-stin-gui-bi-li.

Maria allibisce. Sa che da sempre Cristiano combatte contro una fatale propensione al fritto, ma credeva che la battaglia fosse stata vinta. Ha visto nascere quel ragazzo, e riconosce quegli scatti di autolesionismo. Anzi, di lesionismo dei clienti del Prendi e Taci.

– Hai una nuova ragazza?

– No. Però le telefono. E me ne frego se ha i capelli rossi. Corro il rischio.

– Ahhh... peggio ancora. Sei innamorato –. Maria scuote la testa. L'amore fa danni tremendi alla cucina sana. Da un momento all'altro nel Foglio Spesa sarebbero comparsi dolci al cioccolato.

– No. Non lo sono, ma se anche per caso poi dovessi innamorarmi, pazienza. E che sarà mai!

– Te lo dico io che sarà mai! – gli urla dietro Maria mentre Cristiano si allontana in direzione degli asparagi. – Sarà colesterolo!

Mark Ryden

Quando una giovane donna è incerta fra due uomini, tende facilmente a interpretare qualunque avvenimento come un segno del destino. Adele si trova in una situazione abbastanza classica, illustrata con infinite varianti nella letteratura romantica di tutti i tempi e paesi in cui sia stata attiva la letteratura romantica: si sta innamorando per la prima volta in vita sua, ma nello stesso tempo ha la possibilità di provarci con un uomo che potrebbe risolvere tutti i suoi problemi pratici, e che neanche le dispiace. Sono brutti momenti che non si vorrebbero mai passare. E quando si passano, si cerca appiglio in ogni cosa per prendere la decisione giusta. Perciò, quando il cellulare di Adele suona, e lei invece dell'agognata scritta MANUEL vede comparire la tiepidamente gradita scritta CRISTIANO, sobbalza e si dice: «Ecco, vedi». In questo momento si trova nella ormai amata stireria di casa Biancone-Gambursier, e sta togliendo le ultime grinze a una tovaglia di lino per diciotto con altrettanti tovaglioli. Quindi il suo umore non è dei migliori. Con un sospiro stizzoso, si prepara a rientrare nei ranghi.

– Ciao Adele. Sono Cristiano Castelli.

– Sí. L'ho visto sul display.

– Non sembra che la cosa abbia suscitato il tuo entusiasmo.

– Sto lavorando. Stiro. Dai Biancone.

– Bene, allora non ti faccio perdere tempo. A che ora smetti?

Adele è sorpresa. Si aspettava che lui le rivolgesse qualche domanda sul medaglione, e di dover essere casomai lei a portare il discorso sul piano personale, per avviarsi sulla lunga, lenta e lamentosa via del matrimonio. Decide di leggerla come un'ulteriore spinta del destino verso la stabilità economica piuttosto che verso la tempesta affettiva.

– Alle sei.

– Ti va se ti passo a prendere e andiamo a vedere la mostra di Mark Ryden?

– Altroché se mi va. Sono mesi che non metto piede a una mostra. E neanche al cinema, a teatro, a un conc...

– Una cosa per volta. Ti aspetto fuori dal cancello.

E se adesso mi chiama Manuel dicendo che viene a prendermi e passeremo tutta la sera insieme a baciarci e fare l'amore come fragole nel bosco? Dopo la nostra notte insieme non ha telefonato, non è passato, niente. Secondo la logica piú elementare, questo dovrebbe significare che non gli interesso. Però... però metti che invece ci sia qualche altro motivo? Come una schiera infernale di giovani donne prima di lei, Adele si abbandona alla giaculatoria del «forse è partito per lavoro, forse si è rotto una gamba, forse gli è caduto un triciclo in testa e ha perso la memoria, forse ha capito di amarmi e cerca di sfuggire a questo sentimento troppo intenso... ecc. ecc.». Ma essendo come abbiamo visto una ragazza con un esteso senso pratico, Adele mentre si abbandona posa il ferro da stiro e si controlla nel grande specchio dell'armadio cento stagioni per verificare di essere in grado di portare avanti con successo l'operazione Matrimonio. Capelli puliti, gonna a ruota, scarpe da ginnastica ma d'altra parte non è che una va a stirare coi tacchi. Tutto sommato può andare, e infatti va, o andrebbe, se sulla porta non si scontrasse di brutto con Ernesta, che entra con l'espressione agitata di un coniglio mentre lontane risuonano le doppiette.

– Oh scusami Adele... ecco... fatto niente... ecco.

Adele raccoglie la borsa che le è volata di mano, Ernesta si guarda intorno e poi chiede: – Hai per caso visto il conte?

Mentre parla, circospetta, si avvicina alla porta del guardaroba, e la apre di scatto.

– No, non l'ho visto. Mi spiace.

La domanda sottintesa è: perché lo cerchi nel guardaroba? Ma Adele è troppo educata per farla, e inoltre non vuole far aspettare Cristiano. Ernesta, però, come un bollitore pieno, deve proprio traboccare.

– Perché a volte viene qui nel guardaroba, quando vuole giocare in pace con il telefonino. Sa che la signora, se lo becca ad ammazzare la frutta, si irrita un poco e...

– Ammazzare la frutta?

– È un gioco, si prende a sciabolate la frutta. Ma no, niente. Il fatto è che da due giorni non torna a casa. Tu non l'hai visto da qualche parte, per caso?

– No, mi spiace.

Potrebbe aggiungere, se volesse, che forse la sua amica Eva, ex autista presso quella stessa famiglia, ha notizie piú recenti, visto che ha portato il conte al Montezuma, ma preferisce evitare. Se al Montezuma l'hanno fatto a pezzi e utilizzato come ingrediente per uno dei loro bolliti a due euro, Eva potrebbe passare dei guai.

Cosí, lieta e spensierata, se ne va, e puntuale davanti ai cancelli ecco Cristiano. Lo vede, e si sente subito meglio. C'è qualcosa in lui che placa la paura.

La mostra di Mark Ryden è di per se stessa meravigliosa, e in piú ha per Adele un valore aggiunto: è la prima volta da quel mattino del biglietto e di Zarina che fa qualcosa che la ricollega alla sua vita precedente. Al termine della visita è cosí rilassata che bevendo un cappuccino alla caffetteria di Palazzo Madama racconta a Cristiano che ha in mente di sposarsi di nuovo con un uomo ricco, per poter riprendere a vivere esattamente come prima della sciagura. Mentre glielo racconta, non pensa che l'uomo ricco che ha in mente di sposare è lui. In quel momento, le sembra semplicemente una persona con cui è facile confidarsi.

– Veramente vorresti questo? Non ti piacerebbe approfittare di quello che è successo per prendere una strada diversa?

– No. Perché dovrei?

Cristiano la guarda, con quegli occhi profondi che ha, lucenti come due marrons glacés.

– Perché di solito è una buona occasione. Succede qualcosa che scompagina la nostra vita, e invece di cercare di rimetterla insieme esattamente come era prima, forse conviene accettare la rottura, buttare i pezzi, e provare una vita nuova. Altrimenti sei come quelli che quando si rompe una bellissima tazza di porcellana la aggiustano con l'Attak.

Adele lo fa. Adele aggiusta le cose con l'Attak.

– Perché tu, scusa? Se domattina ti svegli e la tua azienda agricola è volata su Marte, e la tua fidanzata preferita non torna da Zanzibar perché si è sposata con un zanzibarese bellissimo, che fai?

– Per la fidanzata non sarebbe grave. È la preferita, ma è sostituibile –. Cristiano fa una pausa. In quella pausa ci sta una frase tipo: «E tra l'altro, proprio da te, magari», ma non la dice. – E in quanto all'azienda, guarda che non è stata la mia prima scelta. La mia prima scelta sarebbe stata... progettare Lego, forse.

Per un attimo, sia Adele che Cristiano vedono tutto quello che c'è attorno a loro trasformato in Lego, e questo avviene perché anche Adele...

– Lego? Veramente? Sai che io faccio i Lego ancora adesso? Prima, quando avevo i soldi, mi compravo le scatole. Era una delle cose belle della mia vita, avevo la possibilità e il tempo per montare le costruzioni migliori. Hai presente «La nave dei pirati»?

Cristiano annuisce rapito. Dunque anche per lei «La nave dei pirati» rappresenta la summa filosofica dei Lego. Non solo ha i capelli rossi e molte altre bellezze tenute discretamente a bada, ma è anche la sua anima gemella dei Lego. Sta per dirle qualcosa, uno di quei qualcosa che cambiano la natura di un rapporto, ma come nel piú prevedibile dei film di Nora Ephron in quel preciso momento squilla il cellulare di Adele.

Tommaso ha finalmente risolto il rovello che lo rovella da quando si è trovato davanti Jezebel ridente, ed Eva dormiente, e di fronte a queste due non ha potuto:

a) cloroformizzare Eva

b) rubarle la catenina.

La cosa lo ha giustamente irritato, perché dei cinquemila euro che deve dargli sua madre ne ha bisogno. Deve acchiappare quello che può quando può, e questi cinquemila euro sono lí, pronti e fragranti, e allora perché diavolo non ha staccato dal collo di quella tizia il medaglione di sua madre?

A questo proposito, dopo un paio di giorni di acuto disagio e insoliti pensieri sentimentali, Tommaso fa la scelta piú saggia e migliore, quella che è consigliabile a chiunque voglia vivere rapido e puntuale come un treno Frecciarossa però svizzero. Decide d'ignorare le reazioni emotive, recuperare in fretta la catenina, prendere i soldi e tornare a Follonica. La prima mossa da fare per realizzare questo piano è telefonare ad Adele, e questo fa, appunto, mentre Adele e Cristiano prendono un cappuccino e parlano di Lego. Domattina intasco i soldi e parto, pensa dopo aver assicurato ad Adele che alle nove sarà da lei con una cena cinese.

Adele. Diana Dors

Mentre la caffetteria di Palazzo Madama mi appare in versione Lego e mi chiedo incantata cosa possa convincere un uomo a cambiare cosí radicalmente obiettivi, il mio cellulare squilla, e sul display vedo l'agognata scritta MANUEL. Il balzo del cuore dentro la camicetta leggera a fiori lavanda mi fa capire che è lí che duole il dente, è lí che batte la lingua, e che non sono ancora pronta a rituffarmi in un gomitolo di sicurezza. Perciò sorrido a Cristiano e con un gesto della mano che non vuol dir niente mi alzo, mi allontano e rispondo. A Manuel non faccio domande, e non alludo in nessun modo alla notte passata insieme, e vengo premiata con un appuntamento per quella sera stessa: alle nove passa da me con una cena cinese. Saluto frettolosamente Cristiano, che non cerca di trattenermi, e scappo fuori, perché sono le otto e ho appena il tempo di arrivare.

Sono contentina, non contentissima: avrei preferito uscire che stare in casa con Eva e Jezz. Io e lui a raccontarci cose al buio lungo il fiume, io e lui a passeggiare nelle strade di San Salvario facendoci largo fra i tavolini dei dehors, io e lui che finiamo la serata da lui, ovunque sia questo «da lui», e non nella mia cameretta con vista garage e bambina dietro la parete. Per un attimo, rimpiango la mia personalità precedente, quella in cui ero io a decidere e gli uomini a eseguire, ma alla fine, rifletto mentre aspetto il 68 per tornare a casa, alla fine dove mi ha portato tutta questa autorevolezza? Prima in un sobborgo di Biella, e poi all'indigenza, quindi è inutile farla tanto lunga.

E ho ragione. Perché quando arrivo a casa incrocio Eva con uno zaino sulle spalle, Jezz in braccio e Zarina al guinzaglio.

– Ehi... dove andate?

– A Sansicario. Faccio il weekend all'Hotel Majestic. Hanno una convention di astrologi e una delle cameriere ha l'otite.

– E come mai hanno chiamato te?

– Conosco la capo cameriera. Insegnava al Diana Dors.

– Che sarebbe?

– La mia scuola, l'istituto per estetiste di Chivasso. Vado che passa uno a prendermi in corso Belgio.

– Uno chi?

– Uno dei camerieri, che va su stasera.

– E Zarina?

– Ti dispiace se me la porto? Cosí si può fare qualche corsa nei boschi.

Se mi dispiace? Sono ai sette cieli! Fino a domenica la casa è tutta mia! E stasera sarò sola con Manuel! Nell'entusiasmo, ficco nello zaino di Eva il mio maglione azzurro doppio cachemire (trabocco di maglioni di cachemire, ovviamente) dicendole che è quello che ci vuole per le serate a Sansicario, e mi offro di accompagnarla fino al corso, in modo che non debba trascinarsi cane, bambina e zaino da sola. Prendo Jezz in braccio, e la guardo con disapprovazione:

– Non vedo Guercio, Miss. Lo molli a casa? Te ne vai in montagna tutta sola? Non pensi che un po' di aria buona farebbe bene anche a lui?

Non so cos'abbia capito Jezz di questo discorso, fatto sta che dà una manata sullo zaino che sta sulle spalle di sua madre.

– Sí, – conferma Eva, – Guercio è nello zaino.

Solo quando siamo tutte quante ferme all'angolo con il ponte di Sassi mi viene in mente il problema di Ernesta.

– Eva, sai niente di Umberto Gambursier? È da un po' che non lo vedono, a casa. Credo siano abbastanza in pensiero.

– Uhm, – dice Eva. Non è da lei essere cosí laconica.

– Beh?

– Lo sapevo che era pericoloso presentarlo alla Pasti. Chissà dove se l'è portato. Hai da scrivere?

Certo che ho da scrivere. Tiro fuori dalla borsa il mio taccuino con sopra i Beatles e mi segno il numero della Pasti. Eva mi consiglia di chiamarla e dirle di restituire il conte alla famiglia.

Vorrei sottolineare che mi sembra una trattativa da 'ndrangheta, ma arriva una vecchia Punto verde guidata da un gigante africano che si carica donna, bambina e cane. Li vedo sparire oltre il ponte, e una piccola parte di me – ma veramente minuscola, sia chiaro – è triste.

Faccio appena in tempo a rientrare in casa che arriva Manuel, carico di cibi bollenti e in quantità esagerata. Li posa sul tavolo dividendo dagli altri due piccoli contenitori, che mi mostra con un certo orgoglio: – Qui c'è riso bianco e qui zuppa di pollo e verdure senza spezie. Roba per la bambina. Dov'è?

– Non c'è, – gli dico, con trattenuto entusiasmo. Mi fissa sbalordito: troppo felice per crederci.

– Se ne sono andate. Eva ha trovato un lavoro per il weekend in un albergo a Sansicario.

Manuel mi guarda con quegli indefinibili occhi turchesi, pieni di qualcosa che sí, ci giurerei, mi sembra amore.

– Quindi niente? Siamo solo noi due?

– Ah ah –. E qui non resisto a fare la domanda stupida per eccellenza, quella che in condizioni normali non avrei pronunciato neanche sotto tortura, ma è ormai evidente che le mie condizioni non sono normali. – Perché, ti dispiace?

Lui richiude i contenitori per la bambina, e tutto serio mi dice:

– Abbastanza.

Poi si volta, mi prende per la vita e mi tira su la maglia.

– Ma che ci posso fare? È andata cosí –. E mi bacia l'ombelico. Non ricordo che Franco lo abbia mai fatto.

Alle due mi sveglio da un sogno a base di oro, incenso e mirra, avvolta attorno al profumato corpo di Manuel, e mi rendo conto che non mi sono preoccupata affatto di rintracciare il conte Gambursier. Mi sento un po' in colpa verso Ernesta, e in questo momento non ho sonno. Perciò scivolo giú dal letto in cui siamo finiti dopo molti altri passaggi, e una volta in cucina mi faccio largo tra i chicchi di riso cantonese e mando un messaggio alla Pasti. Il ragionamento è: le cantanti hardcore alle due del mattino dovrebbero essere appena all'inizio della loro serata. Quindi le scrivo: CIAO, SNO UN'AMIKA DI EVA, PER CASO HAI NIUS DI UMBERTO KAMBURSIER? A CASA SUA SNO PREOKKUPATI. Non conosco il linguaggio punk, ma spero che le k e qualche abbreviazione bastino a incasinare il tutto. E ottengo un vero trionfo, perché dopo trenta secondi il mio cellulare squilla.

– Sono la Pasti.

– Ciao.

– Sei l'amica di Eva?

– Sí.

– Senti, vieni a prenderti il tipo, non so piú ke kazzo farne, minkia.

– Ma cioè? Che succede?

– Vomita.

– Da quando?

– Da sempre. Non riesco piú a farlo skiodare.

– E non potevi chiamare casa sua?

– No, guarda, io non chiamo nessuno. Manco so ki è questo. Mi ha detto che lavora per un giornale, ma deve essere una balla. Non voglio grane e non sono la sua badante. Puzza pure.

– Okay. Dove siete?

– Te lo faccio trovare nell'aiuola di corso Regina.

Sono stata via da Torino per sette anni, e la Pasti mi deve spiegare che per «aiuola di corso Regina» si intende uno spartitraffico all'angolo fra corso Regina Margherita e corso Belgio che un intraprendente pensionato della zona ha trasformato in un piccolo giardino folto di piante fiorite e profumate. E qui, tra fiori e rimasugli delle decorazioni di Natale, i ragazzi del Montezuma adageranno l'ormai spolpato conte Umberto Gambursier.

Mi vesto velocissima, la vita è bella, ho un'avventura. Non so se svegliare Manuel per farmi aiutare, forse da sola non ce la faccio a caricarmi in macchina un conte che vomita, ma sono un po' impacciata con lui, e mi prende una specie di timidezza, tipo: e se poi si scoccia che l'ho svegliato? Se non gli piacesse recuperare uomini nelle aiuole?

Perciò lascio perdere, e gli metto vicino un biglietto con scritto «Torno presto, un'emergenza». E siccome sono molto furba e non voglio che se ne vada, do le mandate alla porta.

La Regina di Inghilterra

Non è la prima volta che Umberto si assenta da casa per un paio di giorni senza dare notizie, e quindi Marta Biancone non sarebbe di per sé mortalmente preoccupata, se Ernesta non le avesse svelato la faccenda dei vestiti punk. Finora Umberto ha sempre tralignato nei propri panni. Si aggirava nel mondo come se stesso, e la tradiva con femmine perlopiú sconosciute (troppo signore per pescare nella cerchia delle sue amiche) ma comunque omologhe. Il fatto che fosse disceso nella fossa dei tatuaggi, dei piercing e delle droghe era una novità, forse ascrivibile alla famosa crisi dei cinquanta che, dato il costante ritardo di Umberto, a lui è arrivata ai sessanta.

– Perché vedi, – confida a Clotilde al telefono, mentre guarda dalla finestra della sua camera, – l'uomo a una certa età deve provare qualcosa di nuovo. Ma per Umberto di nuovo è rimasto poco.

Clotilde sbuffa. Non ha pazienza con i guai coniugali di Marta. Tommaso le ha giurato che quella sarebbe stata la sera giusta, e lei se ne sta lí su un intero roveto ardente in attesa di notizie.

– Non so come fai a sopportarlo. Non capisco, Marta, davvero.

– Lo sopporto perché lo amo, cara Clotilde, e lo sai benissimo, anche se ogni volta me lo chiedi. Da trent'anni amo la sua classe, la sua eleganza, il modo in cui porta i vestiti, come cammina e si muove, il suo naso dritto... ti basta? No? Amo la sua voce senza punte, le sue mani leggere, amo il fatto che io sono una donna piccola e tozza e accanto a lui mi sento la Regina di Inghilterra.

– La Regina di Inghilterra è una donna piccola e tozza.

– Appunto. E da cento anni o giú di lí ama il principe Filippo, che è alto, elegante e non ha mai puntato sul cervello, credo. E sicuramente la tradisce. Ma poi escono insieme, ogni tanto, e lei accanto a lui si sente la Regina di Inghilterra. E infatti lo è.

Clotilde Castelli sospira. Nonostante sia la prima a rendersi conto che Umberto qualche cartuccia da sparare ce l'ha, l'idea che una donna intelligente come Marta possa veramente amarlo la riempie di sorda irritazione. Per la verità, in questi giorni tutto la riempie di sorda (ma non muta) irritazione: fino a quando Tommaso non si deciderà a riportarle il medaglione del povero Memè, ci vuole poco a mandarla fuori dai gangheri.

– Fai come vuoi, Marta. Ho già i miei problemi, ci mancano le sparizioni di Umberto, che tanto lo sai benissimo, sarà finito in qualche casa delle Langhe e avrà perso il cellulare andando a funghi o a cosa si va in aprile.

– Probabile. E tutto questo nervosismo è dovuto ancora al famoso medaglione?

– Per forza. Quel deficiente di Tommaso non l'ha ancora recuperato. Ho due figli idioti, inetti, incapaci, che non mi servono a niente, uguali precisi a Luigi, non lo avessi mai sposato.

– Vuoi che provi a trattare io con la ragazza?

– No. Se Tommy stasera non me lo riporta, vado a trattare IO con la ragazza, e puoi stare sicura che lo recupero, dovessi anche finire in galera per lesioni multiple.

Marta rinuncia a mettere in guardia ancora una volta Clotilde contro i rischi che comporta avere l'anima di uno squadrista della fu Forza Nuova dentro il corpo di una studiosa di poesia minore femminile, e la saluta. Posa il telefono, e resta affacciata alla finestra che dà sul giardino, e laggiú, seminascosto dai sempreverdi, cosí noiosamente immobili nella loro perenne fornitura di foglie, è possibile anche intravedere il cancello automatico, che senza dubbio presto si schiuderà, permettendo alla ritrovata Jaguar di riportarle quell'uomo elegante e stupido che ha sposato.

Anche Clotilde attende. Eccole qui, queste due donne di età matura, donne importanti, di successo, ricche, autonome, e tuttavia entrambe, in questa serata di primavera, in spasmodica attesa di due uomini dai quali dipende la loro felicità. Non cerchiamo un significato profondo in questa condizione cosí diffusa e tanto misteriosa, e osserviamo invece Clotilde che cerca invano di chiamare suo figlio Tommaso su un cellulare che non sa piú come farle capire di essere irraggiungibile, staccato, scollegato dal mondo, muto e addormentato al di fuori di ogni tacca di campo. Intanto, Marta si è allontanata dalla finestra, si è messa a letto, e tenta invano di appassionarsi a un nuovo capitolo dei *Principî dell'Indagine privata* di Clovis Andersen, e sí che sarebbe un capitolo molto adatto ad appassionarla, visto che tratta dei diversi metodi per pedinare un marito di cui si sospetta l'infedeltà. Quando rinuncia al pacato apporto di Clovis, inizia a girarsi e rigirarsi nel letto, si addormenta a scossoni, sente mille aghi pungerle il cuore nell'inspiegabile timore che questa volta Umberto si sia ficcato in un guaio senza ritorno, e a un certo punto, per sfinimento, contempla seriamente la possibilità di assistere se stessa in un divorzio rapido e indolore. Quando alle due e quarantacinque il telefono suona, il cuore le si spara direttamente fra i denti, e risponde rantolando come un maniaco asmatico.

Ma la voce che sente è di donna.

– Avvocato? Mi scusi tanto, sono Adele Brandi, quella che stira da lei.

– Quella che stira da me? Ma chi è? Ma cosa dice!

– Lo so, mi scusi, lo so che è strano ma c'è qui con me suo marito. Il conte.

– Il conte? Come sarebbe è con lei, dove?

– Aspetti, glielo passo, cosí le spiega lui.

Poi Marta sente un concitato scambio di invettive, in cui la ragazza cerca di convincere Umberto a prendere il telefono: – Su, le parli lei… forza… ce la farà a dire quattro parole senza vomitare, no? – Mi lascinpae… olgaiedi… sconza… – No, lei sconza non me lo dice, che se non era per me stava in questa aiuola fino a domani, e stia attento che mi riempie di sangue il vestito!…

A questo punto Marta si mette a urlare:

– Cosa succeeedeee!!! Mi passi mio maritoooo!!!

E finalmente sente la voce arrotolata di Umberto che pronuncia quelle care, familiari parole:

– Marta… piccolo problema.

Cosí, nel giro di un'ora, l'avvocato Biancone ha recuperato il consorte e lo sta portando all'ospedale Gradenigo per fargli cucire una ferita da coltello da cucina nel braccio destro. La signora Brandi, che effettivamente ricorda di aver visto stirare da lei, ha bofonchiato strane spiegazioni della sua presenza nella stessa aiuola in cui Umberto giaceva ormai svenuto. Marta si ripromette d'indagare in seguito, per adesso le preme di piú impedire che suo marito muoia dissanguato. Spera di riuscirci affidandolo a una valorosa dottoressa del Pronto Soccorso, poi va alla macchinetta del caffè, e la ammira. Ci sono ospedali in cui i distributori automatici sono piccoli templi del piacere. Cioccolata calda, M&M's, tramezzini, cornetti Algida, taralli al peperoncino. Se l'attesa non è legata a qualcosa di grave, e nel caso di Marta non lo è, niente di meglio che prendersi, ad esempio, un moccaccino e una brioche, e riflettere sul futuro della propria vita matrimoniale. O meno.

E mentre Marta riflette, vediamo un po' che cosa era successo, al conte Umberto.

Nanni Belpolito

Niente di speciale, è successo che la sera in cui l'ha portato al Montezuma, Eva è tornata a casa abbastanza presto, mentre Umberto Gambursier è rimasto con la Pasti, nella stanzetta a lei assegnata dal democratico sistema abitativo del centro sociale. Nella piccola camera fredda e profumata di ruggine la meravigliosa cantante hardcore si è ben guardata dal fargli anche solo assaggiare le proprie bellezze, e in compenso l'ha ubriacato con una mistura di misteriosi alcolici tipo i beveroni che Joaquin Phoenix prepara per Philip Seymour Hoffman in *The Master*. Una volta che ha ottenuto in dono, entusiasticamente profferti, i settecento euro che il portafoglio del conte conteneva, e già che c'era anche l'iPhone 5, la Pasti per conto suo era a posto. Non aveva intenzione di fare alcun male all'inetto gentiluomo, e contava di lasciare che a un bel momento si svegliasse e se ne tornasse a casa. Non cosí la pensavano altre figure carismatiche del Montezuma, le quali erano interessate a un uso collettivo e ludico del Bancomat. Cosí erano trascorsi due giorni di grande divertimento per Umberto, il quale, impasticcato, bevuto e nutrito a roba solida ma inebriante, aveva apprezzato molto la compagnia dei carismatici, lasciandosi tranquillamente portar via il carico mensile del Bancomat. Alla fine, cosa sono per lui tremila euro? Niente, e invece tanto per i suoi nuovi amici. Nel momento in cui, voltandolo e rivoltandolo, non avevano piú trovato in lui motivo d'interesse, i ragazzi avevano proposto alla Pasti di riportarlo da dove era venuto, ma lui, sordo a ogni invito a togliersi di torno, aveva dichiarato di voler restare lí con loro, quegli allegri compagni. Per fortuna era arrivata la provvidenziale telefonata di Adele, e il conte era stato trasferito, suo malgrado e grazie a una leggera botta in testa, per nulla dannosa, nell'aiuola di corso Regina. Escono cosí di scena la Pasti e i ragazzi del Montezuma, colpevoli di nulla se non di aver fatto trascorrere a Umberto un paio di giorni che costituiranno la pietra miliare dei suoi racconti agli amici del polo negli anni a venire. Non sono stati dunque loro ad accoltellare il conte? Ma no, certo che no. È stato Nanni Belpolito, geometra che la crisi ha trasformato in barbone, abituale occupante dell'aiuola di corso Regina. Nel breve intervallo tra la deposizione di Umberto e la comparsa di Adele, Nanni Belpolito è arrivato dopo un giro tra i cestini dell'immondizia nel quartiere Vanchiglia, ha trovato un estraneo sdraiato sulle primule, ha provato a svegliarlo e mandarlo via e non riuscendoci, in un accesso di malumore, lo ha pugnalato con il coltellino svizzero. Sono cose che capitano quando nel sangue la percentuale di grappa è superiore al quaranta per cento. Ha poi assistito, nascosto tra le foglie di un voluminoso lauroceraso, all'arrivo di Adele e a quello di Marta e alla conseguente sparizione di tutti quei seccatori. A cose fatte, si è avvolto in un piumino a quadretti dell'Ikea e si è pacificamente addormentato sulle stesse primule, che sono emerse dalla nottata in questione veramente molto schiacciate.

Adele. Kerry Weaver

Quando arrivo a casa è circa l'alba, e sono un po' emozionata. Avventura va bene, ma trovare un conte accoltellato in un'aiuola in pieno centro di Torino è una cosa strana anche per una come me che ha visto tutti i film di Park Chan-wook. Per fortuna l'avvocato Biancone ha detto che era una ferita superficiale, ed è rimasta calma e competente come la dottoressa di *E.R.*, quella zoppa. Che poi, non so perché, da un certo momento in avanti non è stata piú zoppa. La signora mi ha ringraziata tanto, e quindi immagino che non mi licenzierà. Per quanto con questi aristocratici non si sa mai, sono capacissimi di ringraziarti con una mano e licenziarti con l'altra.

Manuel è dove l'ho lasciato, sempre addormentato, e dopo una breve riflessione decido di non raccontargli questa mia impresa. Non so quasi niente di lui, ma non mi sembra il tipo d'uomo che s'interessa a quello che fa la sua ragazza. Mi sembra piú il tipo d'uomo che non ha voglia di essere scocciato. Quindi m'intrufolo nel letto di Eva, lasciando a lui il mio che onestamente è troppo piccolo per due, e mi riposo con una coscienza piú che pulita, cristallina! Ho salvato il mio datore di lavoro!

La Tav

Curato, lavato, medicato, Umberto Gambursier si ritrova sull'auto di Marta, diretto a casa, come tante altre volte nella sua vita. Qualcosa, però, in lui è scosso. Essere accoltellati in un'aiuola spartitraffico in corso Regina Margherita è un'esperienza che non si augurava di provare, e che non è stata in alcun modo bilanciata da meravigliosi momenti di sesso con la Pasti, in quanto costei ha mantenuto un contegno ritroso degno di santa Lucia o altre martiri. Ora che non è piú soggetto agli effetti di beveroni e pasticche, il conte rimpiange anche i tremila euro e l'iPhone, e invita Marta a bloccare immediatamente la carta di credito.

– Non ce l'avevi, – dice brusca Marta, imboccando strada del Nobile.

– Come lo sai?

– La tengo io, la tua carta di credito.

È strano, il tono di Marta. Umberto sente un lieve allarme corrergli lungo la spina dorsale. Per sicurezza, geme.

– Ahi… mi fa tremendamente male, questo braccio…

– Bene. Te lo meriti.

Questa non è la solita Marta. Il conte non ha piú dubbi. Questa donna è arrabbiata con lui.

– Ho molto male, sto malissimo, ahia…

– È finita, Umberto.

– Ma certo, cara, è finita, finitissima, puoi stare tranquilla che d'ora in poi con i centri sociali ho chiuso.

– È finita fra noi. Io ti lascio. Basta. Divorziamo.

– Marta! Non me l'avevi mai detto prima.

– Infatti.

Umberto tace, e prende in considerazione l'idea. Divorziare, perché no? Tanti divorziano, e dopo sono liberi di fidanzarsi con ogni sorta di ragazze belle e giovani. Ma gli basta un attimo di riflessione per rendersi conto che la cosa gli porterebbe parecchi svantaggi e nessun vantaggio. Lui si è sempre fidanzato con ragazze belle e giovani, anche da sposato. E in piú aveva Marta che si occupava di lui e risolveva tutti i suoi piccoli problemi. Perché mai, dunque, divorziare? Dovrebbe andarsene da casa, o mandare via Marta, e in ogni caso Ernesta rimarrebbe con lei, e dunque lui perderebbe sia Marta che Ernesta. No, questo è impossibile, di una scomodità inimmaginabile.

– No, Marta. Non divorziamo. Sarebbe molto sgradevole, per tutti e due.

– Può darsi. Ma per me è sgradevole anche essere sposata con te.

– Meno sgradevole.

– Finora era meno sgradevole, ma adesso mi sono stufata. Cosa combinerai la prossima volta? Rapinerai una banca con una delinquente mezza nuda? O... non so, andrai in Val di Susa a bloccare la Tav e a drogarti nei prati?

– No! Cos'è la Tav? Che prati?

– Lascia perdere.

Sono arrivati a casa, all'alba di un giorno in cui Marta ha tre udienze e Umberto una riunione del Premio «Golden Retriever dell'anno» di cui è uno dei giudici. Mentre segue sua moglie, forse presto ex, attraverso il giardino e in cucina, Umberto cerca di pensare con lucidità. È sicuro che c'è qualcosa che può fare per togliere dalla testa di Marta questa brutta idea del divorzio. Qualcosa che la renda di nuovo felice di essere sposata con lui. E all'improvviso, mentre già sono per le scale, stancamente diretti ciascuno alla sua stanza, il conte schiocca le dita internamente. Ah sí! Ma certo! Stupirla con qualcosa che lei sicuramente non si aspetta, di cui forse ha addirittura dimenticato l'esistenza. Fare l'amore con lei, ecco cosa!

Adele. L'Anticristo

Per tutto il weekend, Manuel resta a casa mia. Una buona parte del tempo la passa a dormire. Mi spiega che chi lavora nei villaggi è in perpetuo debito di sonno, e dunque snocciola sonnellini ogni volta che può. Il resto del tempo lo passa facendomi divertire e guardando la tele. Ogni tanto usciamo a procurarci del cibo, e un paio di pasti li cucina lui, avendogli io spiegato che nel mio caso la frase fatta «Non sa cuocere neanche un uovo al tegamino» non è affatto fatta, e descrive la realtà. Non parliamo molto, o almeno non chiacchieriamo, non ci raccontiamo cose, lui non è curioso di me e non ha voglia di parlare di sé. L'unico argomento che tocca volentieri è la baby dance, una specie di ossessione per lui. La baby dance a quanto ho capito rappresenta una buona percentuale della sua attività nei villaggi, e consiste nel radunare tutti i bambini presenti in loco e farli ballare mentre i genitori prendono il caffè dopo cena.

– Non è male. Certi fanno troppo ridere. Immagina questa cosa al tramonto di un giorno di fine luglio, nel villaggio Il Girasole, il piú vicino a casa mia, a Follonica. Non è ancora buio, ma certe luci sono già accese. Io suono, e canto e mando il cd, le animatrici animano, e i bambini fanno ognuno una cosa diversa. Sono tanti, e i gesti da copiare sono facili, ma non ce ne sono mai, mai, neanche per sbaglio, due che facciano la stessa cosa nello stesso momento. Guardarli ti aiuta a capire la matematica.

Io gli do un pochino di corda, in attesa che ricominci a fare ciò che piú mi piace, e in cui dà il suo meglio, almeno a quanto ho visto finora. E mi ripeto con tanta fiducia che, passata questa fase, verrà quella in cui Manuel si dispiegherà davanti a me come un origami, svelandomi passioni e interessi, paure e speranze, e tutte quelle altre cose che anche gli uomini hanno dentro, e che tirano fuori soltanto con i grandi amori della loro vita.

Domenica sera però, mentre sto facendo la doccia, il mio amato sparisce. Quando esco dal bagno, è come se non ci fosse mai stato: la casa è in perfetto ordine, il mio letto rifatto, la cucina immacolata, il telecomando allineato. Qui non c'è mai stato nessuno, al limite neanch'io, perché se ci fossi stata sicuramente avrei lasciato piú casino.

Mi basta un attimo per capire che è stata colpa della minestrina. Sí, di sicuro. Poco prima che io andassi a fare la doccia, Manuel si è alzato dal divano ed è andato, come in stato di trance, davanti al fornello. L'ha guardato per un po' e poi ha detto:

– La sai fare la minestrina?

– Che minestrina? – ho risposto subito sulla difensiva.

– È domenica sera. La minestrina della domenica sera.

– Sarebbe?

– Adele, sei scema per caso? La minestrina! Quella che le mamme fanno la domenica sera. Con la pastina.

– Ah, quella. No, non la so fare. Te l'ho detto che non so fare niente.

Manuel tace. Cerco di capire com'è che gli è presa questa fissa della minestrina.

– Tua mamma te la faceva?

– Ma figurati, – mi risponde, tornando sul divano. – Mia mamma non sapeva neanche dov'era il fornello. Me la faceva mia nonna.

Ritengo piú prudente tacere. Non so come la pensi lui sull'argomento nonne/ricordi d'infanzia/cibo, ma per me è la triade maledetta dell'Anticristo. Tutto quel genere di argomenti lí mi ossida le vene. Anche lui ritiene piú prudente tacere, ed è per questo che vado a fare la doccia. Immagino che quando ritornerò gli sarà passata.

E invece non lo trovo piú. Mi do i pugni in testa come uno psicopatico qualsiasi. Se avessi espresso entusiasmo, o anche solo consenso, nei confronti della stramaledetta minestrina, adesso saremmo qui a mangiarla insieme.

Per questo, quando arriva Eva con Jezz e Zarina, le do a stento il tempo di sistemare sua figlia a letto e di portare quella viziata di Zarina a fare due passi lungo il fiume, e poi, mentre si scalda un po' di latte e lo mangia con i biscotti del discount (i biscotti e i dolci in generale sono comunque la cosa migliore dei discount, credo che anche quando sarò di nuovo ricca ogni tanto una puntatina a comprarmi la Sacher dell'iN's la farò comunque), le chiedo se sa fare la minestrina.

– La minestrina? Normale? Coi dadi?

– Credo. Quella che fanno le mamme la domenica sera.

– Certo. Che ci vuole. Perché?

– Perché a me ha sempre fatto schifo e a mio padre pure e cosí la domenica sera mia mamma faceva la pizza.

– Bello.

– Abbastanza, ma adesso devo imparare a fare la minestrina.

E cosí Eva prende uno zucchino e una carota, li fa a pezzi e poi li trita con la mezzaluna («Chi ce l'ha, usa il frullatore»), li mette in un pentolino con l'acqua, li fa cuocere e bollire, poi aggiunge il dado e la pastina, ed ecco fatto. La minestrina.

La assaggio, e non capisco cosa ci trovino tutti.

– Secondo te, gli mando un sms?

– Se hai ricarica da buttare, – commenta la mia indomita insegnante, poi prende la mia minestrina e la mangia lei. Qui non si spreca niente.

Kevin, Seba, Diego, Dani e Ale

Anche Clotilde mette il muso. Domenica sera suo figlio Tommaso ricompare, ma a mani vuote. Sostiene che la ladra non c'è, è partita, e si è portata dietro il medaglione.

– Avevi detto che tornava venerdí.

– Invece è partita venerdí.

– Era già via, non può essere partita.

– Eppure lo ha fatto. Mamma, non stare a cercare il pelo nell'uovo. Ragazza e catenina erano assenti, okay? Ho dovuto passare un intero weekend con la sua coinquilina che neanche mi piace solo per recuperare il tuo dannato coso, perciò non mi scocciare piú di tanto, e abbi fede che te lo riporto. I cinquemila mi servono.

– Beh, sai cosa? D'ora in poi, ogni giorno di ritardo sono cinquecento euro in meno.

– E tu sai cosa? – Tommaso si alza dal grande divano angolare di pelle nera, un oggetto bruttissimo, e si avvia alla porta. – Te lo recuperi tu il tuo medaglione. Vai da lei, strappaglielo dal collo e fatti denunciare. Quando ti faranno il processo, io sarò in un villaggio in Marocco.

– Che cosa volgare.

– A lavorare, madre, non in vacanza. Ci vediamo.

– Aspetta! – Clotilde odia supplicare i figli, e in generale rivolgersi a loro in tono che non sia di comando, ma sa che se non ci pensa Tommy a risolvere questa faccenda, tutto diventerà piú complicato. – Giurami che appena torna glielo prendi.

– Glielo prenderò quando lo riterrò opportuno, sicuro e soprattutto divertente.

Tommaso esce, e Clotilde prende a calci uno sgabellino foderato di verde. Poi cerca requie e pace nel solito modo: si avvicina al cassetto chiuso a chiave, lo apre, c prende una delle prime avventure di Dany Delizia, per rileggerla. Chissà, si chiede con un piccolo moto di malinconia, se questo fiume di latte e di miele s'inaridirà per mancanza di autore. Con un sospiro, apre *Ci becchiamo sul 61* e assapora quel celebre inizio:

> Dany Delizia sistemò uno strato di ombretto bianco sulle palpebre abbassate, poi si voltò verso Zaffiria, che la guardava con aperta incredulità. – Lo vedi? È figo –. Zaffiria scosse lentamente la testa: – Oh Dany, tu sei pazza! L'ombretto bianco non piacerà mai a Kevin! E neanche a Seba, Daniel, Diego e Ale! – Dany alzò le spalle, e scosse la massa di capelli neri. – Se lo metto io, gli piacerà eccome, vedrai.

Clotilde sospira. Questo è l'atteggiamento giusto nei confronti della vita.

Peter Pan nei giardini di Kensington

Se mai gli avessero detto che un giorno si sarebbe comportato tale quale a Peter Pan nei giardini di Kensington, Tommaso Castelli 1) avrebbe precisato di non sapere una mazza di cosa il tipo aveva fatto in quei giardini, e 2) avrebbe escluso di poter mai avere qualcosa in comune con quel deficiente che svolazzava.

E invece, eccolo che lasciata piazza Maria Teresa si avvia deciso verso quella stessa via Varallo da cui se n'è andato non molte ore prima. Il piano originario era di aspettare il ritorno della bionda e prenderle quel benedetto medaglione in un modo o nell'altro. Ma dopo un'ennesima sessione di servizio con Adele, si era detto basta. Se avesse visto ancora una singola tetta nuda, un lembo di coperta patchwork o un angolo di teiera, il suo cervello si sarebbe frantumato come i cristalli dei parabrezza. Era stufo, ma veramente stufo di tutta quell'intimità.

Quindi era sparito, con la bella pratica derivante dall'abitudine. Ma passato l'attacco di misantropia, si era reso conto che non era nella posizione di rinunciare a cinquemila euro per motivi filosofici, e quindi eccolo di nuovo, e si spera per l'ultima volta, diretto a quella dannata casa delle bambole.

Il destino però ha in serbo per lui un colpetto piuttosto basso. Quando Tommaso arriva davanti al numero 18 di via Varallo, la strada è buia e la casa illuminata, e la finestra inquadra con malizia Eva che sta insegnando ad Adele come si fa la minestrina.

Eccola lí, bionda e breve, semplice e disadorna, che affetta zucchine e carote, e le fa bollire in un pentolino d'acqua, mentre quell'altra cretina la guarda come se stesse glassando un'anatra pechinese.

«Questo è troppo, – pensa Tommaso. – Io la amo. Via di corsa, e non tornare mai piú».

Adele. Django

Lunedí mattina mi alzo piena di energia, e affronto il mio portafoglio. È da parecchi giorni che mi guardo bene dal contare quanto c'è dentro. Vedevo un debole sfarfallio di fogli blu e rossi, e un paio arancioni. Ormai compro il minimo indispensabile, e per evitare di soffrire non guardo le vetrine. E quando le guardo, purtroppo non guardo piú quelle di una volta. Il mio interesse si sta livellando verso il basso. In questi sette anni da giovane signora ricca, compravo poco, ma compravo benissimo. Mi ero creata un po' questo personaggio della trentenne sofisticata, mi piacevano i completi da biblioteca, maglia di cachemire su camicia di lino o di seta, ballerine però di Porselli, borse senza nome ma fatte a mano. Adesso, sono riprecipitata alle origini, eccomi di nuovo figlia di un operaio e di una maestra, ferma davanti ai banchi del mercato che palpo camicette fallate, però con dei fiori bellissimi. Guardo le vetrine di Contigo, di Benetton, di Intimissimi. Bramo stivali da novanta euro. Occhieggio maglie blu di lane corrive o addirittura sintetiche. Vedo me stessa adattarmi a desideri sempre piú sciatti, e che comunque per me restano irraggiungibili.

E infatti ora che ho fatto i conti so che possiedo ancora centonovanta euro in tutto. Oggi vado a stirare, e ne tirerò su un'altra quarantina, ma mi rendo conto che se non riesco a farmi prestare tipo cinquecento euro da mia madre, sarò costretta a trovarmi al piú presto un nuovo lavoro, e ad accelerare al massimo le pratiche per sposare Cristiano.

Mentre vorrei rallentarle fino quasi all'esaurimento, e continuare a esplorare questo universo sconosciuto dell'amore, che ha al centro un giovane uomo dedito alla sparizione.

Prendo il telefono, e chiedo il credito. Ho ancora novanta centesimi. Posso sprecarli per telefonare a mia madre? Quando invece potrebbero servirmi per chiamare Manuel (piacere) o Cristiano (dovere)? Decido di consultare l'esperta.

– Eva, come si fa a telefonare quando non hai piú ricarica?

– Chiami a carico del destinatario. Se il destinatario è d'accordo, paga lui.

– Eva… – la guardo con piena ammirazione. Questa ragazza sa tutto in fatto di vivere gratis. – Tu non hai mai avuto un po' di soldi, in vita tua?

Lei ci pensa. – Beh, da bambini non stavamo male. Non eravamo ricchi, ma non stavamo male. Da quando me ne sono andata di casa, no, non ne ho mai avuti.

– Quanti anni avevi quando te ne sei andata?

– Diciassette. Quando ne avevo undici, mia madre è scappata con un tipo, e quindici giorni dopo mio padre si è portato in casa un'infermiera filippina. La prima di tante fidanzate. Tutte straniere.

– Se non altro diciamo che l'ha presa bene, la fuga di tua madre.

– Benissimo. Non ho mai capito chi cazzo gliel'avesse fatto fare di sposarsi. Loro dicevano che si erano innamorati, e che però l'amore non dura. In effetti, in sei anni mio padre ha cambiato tredici fidanzate.

– E nessuna ti piaceva?

– Qualcuna sí. Il problema era che cambiavano troppo in fretta. Appena mi affezionavo, sparivano.

Eva non è una che potrebbe fare carriera col teatro di narrazione, ma a furia di domande, riesco a intravedere questo alloggio di Mirafiori in cui si succedevano signorine di luoghi lontani, ognuna con le sue cose, e le sue abitudini. C'era la russa, e per un po' la famiglia Fasano viveva di boršč e pel'meni ed emozioni forti, poi arrivava la brasiliana, e improvvisamente sparivano le balalaike magnetiche appese al frigo, mangiavano fagioli a colazione, ed Eva si trovava la matrigna che si faceva la ceretta davanti alla tele. Una specie di giro del mondo in formato domestico.

– Mi sentivo un impiccio. Giona pure si era sposato. Cosí ho preso il mio zaino degli scout, l'ho riempito e me ne sono andata.

Anche i miei genitori si sono separati, le racconto mentre mi segno il numero delle telefonate a carico.

– Mamma?

– Adele! Perché chiami a mio carico?

– Perché non ho soldi. Come stai?

– Benissimo, grazie, tesoro. Sono qui con Gigliola che stiamo facendo le bomboniere di sua figlia. Te l'avevo detto no che Gloria si sposa.

– Sí, e io ti avevo detto di farle tanti auguri. Senti, mami, avrei bisogno di un piccolo prestito.

– Ah! Benissimo. Proprio adesso Gigliola mi stava dicendo che lei per il matrimonio si è rivolta a una finanziaria qui in zona, che le ha fatto degli interessi davvero contenuti. Aspetta che le chiedo...

– No, guarda, pensavo che il prestito potessi farmelo tu. Sai, finché non trovo un secondo lavoro...

Le ho già raccontato che stiro dalla Biancone, e ho fatto molto male, perché il commento standard di mia mamma a proposito di tutti i miei guai è sempre una variazione sul tema «te l'avevo detto io di fare il concorso per insegnante che male che andasse qualche supplenza la potevi trovare, non c'è niente di peggio che dipendere dal marito, guarda me che ho sempre lavorato e adesso ho la mia pensione e sto tranquilla, a tuo padre non devo chiedere niente». In questo caso la variante è stata: «Certo che per andare a stirare a ore potevi fare il concorso da insegnante che almeno ecc. ecc.».

– Tu non hai trovato neanche il primo di lavoro, stellina. Come stai? Mangi abbastanza? Vivi sempre con quella hippie?

– Sí, e sto bene, tranquilla. Mi puoi prestare cinquecento euro?

– Oh tesoro mio, e come faccio?

Semplice, vorrei dirle, mi stacchi un assegno, dato che l'ultima volta che sono venuta a trovarti avevi lasciato il rendiconto della banca sul tavolo della cucina, e ho potuto notare che al momento sei attiva di 23 679 euro.

– Perché, che c'è? Non li hai?

– Li ho, ci mancherebbe, ma se comincio a prestarteli, lo capisci anche tu, alla fine ci troviamo senza. Li tengo per le emergenze, è meglio. Metti che tu abbia un incidente...

– Tipo che devi comprarmi la sedia a rotelle? Okay mamma, lascia perdere, non importa.

– Ti do il numero della finanziaria di Gigliola?

– No grazie.

– Come vuoi. Quando vieni a pranzo, che ti faccio la pasta e ceci?

Mai, vorrei risponderle, ma è mia mamma, a modo suo mi vuole bene, basta che non abbia bisogno di lei, mio padre vive su una barca in Sicilia e neanche mi telefona per il compleanno, non ho fratelli né sorelle, se rompo con lei a Natale vado a mangiare da McDonald's?

– Presto, mami. Ciao.

Eva mi guarda, senza dire niente.

– Com'è che siamo tutte e due cosí sfigate in fatto di genitori? – le chiedo.

– E com'è che siamo tutte e due mancine?

Ho ancora in mano la penna con cui ho scritto il numero delle telefonate a carico, e sí, effettivamente sono mancina.

– Dici che le due cose sono collegate?

Scuote la testa decisa, già tutta accipigliata. – No. Anche Jezz è mancina. Saranno i cosi... i geni.

– Beh, mancina o no, devo trovarmi un altro lavoro. Almeno finché non riesco a sposare Castelli.

– Ma non hai passato il weekend con quell'altro? Quello della minestrina?

– Un conto è passare i weekend, un conto è sposarsi. Sono due attività che potrebbero anche non incontrarsi mai.

– E perché, scusa? Non potresti sposare quello della minestrina?

Alzo le spalle. – Non c'ha i soldi.

– E allora? Non puoi sempre sposarti per soldi. O fai come me, e te la sbrogli da sola, o se preferisci farti mantenere da uno, prenditene almeno uno che ti piace. Manuel non sarà ricco, ma mica ti farà morire di fame. Lavora.

Sospiro. Scegliere l'amore, e vivere di poco a Follonica inebriandomi del suo splendido viso e del suo corpo appassionato? Non so se sono pronta.

– Non so se sono pronta. Intanto che ci penso, se sai di qualche lavoro...

Ma siccome la vita va cosí, alla fine sono io che trovo un lavoro a lei, anche se solo per una sera. Quando arrivo abbastanza sconsolata alla Villa, Ernesta mi accoglie in piena fibrillazione.

– Diamo una festa! – mi annuncia.

Per un attimo, forse influenzata dal ricordo di *Downton Abbey*, penso che a dare la festa siano lei, i due filippini e il giardiniere.

– Bravi! Cosa festeggiate? È il compleanno di qualcuno?

– Sí, del conte Umberto.

– Ahh... – delusione.

– Certo. Credevi il mio? – mi guarda con scherno e derisione, e capisco che Ernesta è un po' come il tipo di *Django Unchained*, il film di Tarantino. Quel maggiordomo nero che sbava per i padroni.

– Questa settimana il conte compie gli anni, e la signora ha deciso di dare una grande festa, sabato prossimo, perché fanno anche venticinque anni di matrimonio. Forse torneranno anche i signorini dall'Australia!

– Accidempoli, – dico, perché sono educata e non pronuncio parole brutte, soprattutto non con Ernesta, che non ci metterebbe niente a licenziarmi.

– Avremo bisogno di aiuto extra. Puoi venire quella sera a fare la cameriera aggiunta?

– Quanto pagate?

– Cento euro forfait.

– Okay.

– E avresti un'amica da portare? La signora vuole persone fidate, che già conosciamo.

– E infatti la conoscete. Eva, la ragazza che ha fatto da autista al conte per un paio di giorni.

– Ah, sí. Carina. Va bene.

Per fortuna né Ernesta né tantomeno l'avvocato Biancone sanno che è stata Eva a mettere il conte Umberto sulla cattiva strada del Montezuma. Quando la Biancone è venuta a riprenderselo, le ho detto semplicemente che, mentre tornavo a casa dopo una serata in discoteca (non ho mai messo piede in una discoteca in tutta la mia vita), avevo rallentato al semaforo e avevo notato il conte Gambursier che sanguinava nell'aiuola. Una cosa che ho imparato leggendo libri di storia del Seicento (una delle mie letture preferite), infatti, è che non si danno mai informazioni su conto terzi spontaneamente, senza ricavarne un utile, o un piacere.

Quindi Eva è pulita, e potrà guadagnarsi pure lei cento euro. Senza contare che conosceremo finalmente i signorini! Peccato che siano troppo giovani per sposarceli.

Vidussi & Pulfero

Quindi la strategia di Umberto ha funzionato. Se lasciamo una donna ben decisa a divorziare, e dopo pochissimi giorni la ritroviamo che organizza una festa per il compleanno del marito, vuol dire che è una donna molto avanti, oppure che non divorzia piú.

Marta Biancone non divorzia piú, perché effettivamente la strategia di Umberto ha funzionato, e dopo una notte, se non di passione, almeno di dovere compiuto con zelo, essa si sente di nuovo amata e desiderata come Madame Pompadour, e questo comunica alla sua irosa amica Clotilde con la quale qualche giorno dopo condivide un frettoloso cappuccino in piazza Vittorio, al mattino presto prima di recarsi in tribunale.

– Ha dimostrato di amarmi ancora, e se mi ama io gli perdono tutto.

– Marta! – Clotilde alza al cielo gli occhi e il cucchiaino grondante caffellatte. – Tu mi dici questo! Tu che hai aiutato tante donne a divorziare! Che se le mettessimo tutte in fila farebbero tre volte il giro del mondo! Come fai a dire delle baggianate simili?

– Non sono baggianate, Umberto non sa resistere alle tentazioni ma il suo cuore appartiene a me soltanto, e io non ho mai incoraggiato al divorzio una donna se il marito la amava veramente, e se lei amava veramente lui. Il divorzio è un'ottima cosa quando almeno da parte di uno dei due non c'è piú amore.

– E certo! Perché secondo te uno che se la fa con le cantanti punk, le bariste hip hop, le segretarie devote... ma...

ma se una volta l'ho visto scambiarsi i numeri del telefono con una mia poetessa!

– Ma va? Davvero? E chi?

– Rada Skoro. Quella che ha scritto «Ne govorim, upomoc! Ne razumem, laku noc, povredena sam!» Ricordi? Ti ho regalato la sua opera omnia per il tuo compleanno.

– E dove l'ha conosciuta, scusa?

– Quando è venuto al Circolo dei Lettori. Tu eri a Roma per il divorzio Colonna-Torlonia.

– E Umberto è venuto a sentire una poetessa serba?

– C'era un ottimo rinfresco.

Marta tace. Per un attimo, la sua nuova felicità vacilla. Vero è che Umberto proprio non se ne è mai lasciata sfuggire una.

– Clotilde. Per favore. Se sai di altre che si sono fatte mio marito, non dirmelo. Okay? Tutto sommato, mi scoccerebbe un po' divorziare.

Clotilde sospira. – Va bene... e adesso parliamo di questa festa.

– Buffet, pianista, champagne. Classica. Anzi, fammi chiamare il catering che poi mi dimentico.

Sfortuna, o fortuna, a seconda dei punti di vista, vuole che l'abituale pianista che lavora in società con il catering «Ci pensiamo noi» di Vidussi & Pulfero sia stato incornato da un cervo mentre faceva una gita in montagna, e di conseguenza risulti momentaneamente inabile a suonare. Né Vidussi né Pulfero sono in grado di procurare un sostituto, ed Ernesta si sta lamentando con la signora Brandi, occupatissima a stirare le polo Lacoste del conte in numero di nove. La signora Brandi drizza le orecchie, ben riparate dai copiosi capelli rossi.

– Vi serve un pianista? Io ne conosco uno bravissimo.

– Ah sí? E come si chiama?

– Manuel De Sisti. Lavora nei villaggi vacanze, sa suonare tutto, da Rachmaninov ai Puffi.

– Oh santo cielo, non credo che per la festa andrebbero bene nessuno dei due.

– Era per dire, Ernesta. Sa suonare tutto.

– Ah beh, allora chiamalo. Ma il vintage italiano, lo fa?

Quando vede il messaggio di Adele, Tommaso sospira. Tutte uguali. Richiamano sempre. Si fanno vive sempre. Trovano una scusa plausibile, ed eccole lí. Non una che sparisca in forma definitiva, non una che veramente ci metta una croce sopra quando lui si comporta in modo a dir poco insultante. Ma come, Adele! pensa Tommaso, che per il momento non risponde al messaggio, ma come, io sparisco senza una parola per la seconda volta, non mi faccio piú sentire, e tu dopo pochi giorni mi mandi un sms che dice CHIAMAMI CHE HO UNA PROPOSTA DI LAVORO? E cosa può interessare, a me, una tua proposta di lavoro? Io con voi ho chiuso, ragazze mancine.

Questa è la decisione che ha preso Tommaso, mettendo su un piatto di un'ipotetica bilancia i cinquemila euro che sua madre gli darebbe, e sull'altro il rischio che corre il suo ecosistema personale se continua a vedere quella ragazza bionda con la bambina piccola, senza mai decidersi a fregarle la catenina. La cosa migliore è tornare di corsa a Follonica, e prepararsi la borsa per Agadir. Questa vacanza non è stata una buona idea. L'unica cosa che un po' gli dispiace è togliere il disturbo a suo fratello. Vorrà dire che oltre al disturbo, per compensare, gli toglierà anche qualcos'altro. Il samovar d'argento massiccio? Un paio di mila dovrebbe farli.

Si prepara quindi ad andarsene, col cuore incrinato ma non domato, deciso a combattere il sentimento nuevo e a riprendere la vita antica. Un po' come Adele, no? Solo che lei, essendo donna, un pochino piú di coraggio finirà con l'averlo.

Si prepara ad andarsene, elimina il messaggio di Adele e continua a camminare in via Plana, diretto alla macchina parcheggiata in piazza Vittorio. È stato da Onda, il negozio di musica piú imprevisto di Torino, e dondolando un sacchetto che contiene un raro cd di canzoni per bambini dell'ex Unione Sovietica, si guarda intorno con un vago pigro rimpianto, chissà quando tornerò, ma il vago pigro rimpianto si scuote alla vista di una ragazza magra che sta infilando la city bike nell'apposita rastrelliera.

– Alice!

Sí, è lei, Alice Bevilacqua, compagna di uno di quei pezzetti di liceo che ha sporadicamente frequentato. Proprio lei!! Che simpatica! Si salutano con un certo entusiasmo, e poi arriva, da parte di Tommaso, la domanda che cambierà la sua vita:

– E allora, Alix, cos'è che fai di bello al momento?

Abbiamo lasciato Cristiano Castelli tutto solo a un tavolino nel bar di Palazzo Madama, mentre Adele se la dava a gambe per correre da Tommaso in veste di Manuel. Non è rimasto lí a lungo, non è il tipo che sta seduto da solo a un caffè a dolersi per una rossa fuggitiva. Risponde finalmente a un messaggio che aveva deliberatamente ignorato, e che lo porta a trascorrere prima una piacevole serata, indi una piacevole nottata, e di conseguenza un piacevole weekend in compagnia di una signorina della Thailandia, a Torino per un convegno di magistrati. Il magistrato thai si chiama Yingluck Wongsawat, e figura fra gli invitati a una cena in casa di un magistrato torinese, sposato con una nobildonna ardente cliente dell'Azienda Agricola Castelli e ammiratrice personale di Cristiano. Lo invita sempre alle sue serate, lui raramente ci va, ma quella sera sembra deciso a mettersi le rosse alle spalle, e certo Yingluck non ha nulla di rosso, nemmeno la bocca, di un delicato beige.

Martedí sera, accompagna Ying all'aeroporto, e dopo averla salutata e averle augurato almeno un'altra settantina di anni operosi e felici, passa al settore arrivi, dove tra un'ora giungerà da Zanzibar la sua fidanzata preferita.

Eppure, in tutto questo, un triangolino centrale di cuore ha continuato a pensare ad Adele. E quindi non reagisce con la sperata indifferenza quando, pochi minuti prima dell'atterraggio, sul suo cellulare compare proprio quel nome, in stato di chiamata.

E Adele ha continuato a pensare a Manuel, e a chiedersi perché non risponde al suo sms. Eppure è un messaggio che non contiene nulla di romantico, s'illude, non rendendosi conto che all'occhio dell'uomo veramente esperto qualunque messaggio di una donna che lui non richiama è un messaggio romantico. Ma come abbiamo visto, pur essendo inesperta di mosse amorose, Adele è sempre guidata dalla realtà, e dunque non ci mette molto ad arrivare al ragionamento corretto: «Se non risponde neanche a un messaggio che non ha nulla di romantico e gli propone un lavoro, vuol proprio dire che con me non vuole averci a che fare». Ciò la rende incline allo struggimento, mentre si allontana da Villa Gambursier, lasciandosela alle spalle ben stirata e piegata. La serata è del tipo che incoraggia gli stati d'animo languidi, quelle serate di primavera in cui ci vorrebbero altoparlanti che diffondano tra gli alberi sonate di Chopin. E chissà perché, quello stato d'animo di *melancholia* attiva la induce a chiamare Cristiano.

– Ciao. Sono Adele.

– Ciao Adele.

Guardinga lei, riservato lui, per molti motivi: lei lo ha mollato a Palazzo Madama nel pieno fulgore di una visione Lego, lui ha appena trascorso un weekend con un magistrato thailandese e si prepara ad accogliere la fidanzata preferita. Eppure, il suo battito di agricoltore accelera.

– Ti sei mai trovato pronto a prendere una decisione, ma quella scappava?

– Se volevo prenderla, nessuna decisione è mai riuscita a scapparmi.

– Eh, quanto te la tiri.

– E tu quanto sei sempre elusiva. Quale sarebbe questa decisione che non si lascia prendere?

– Niente, non so neanch'io. Casomai te ne parlo un'altra volta. È che stasera mi sento un po' spersa, ed essendo spersa ho pensato a te.

Osserviamo con quanta naturalezza Adele si rivolge a Cristiano. Questo perché, essendo convinta di amare un altro uomo, con lui si sente a suo agio, non misura le parole, non si preoccupa di quello che lui penserà. E non sa, quindi, che questa frase colpisce il cuore di Cristiano come fa il bastone col gong all'ora di cena al castello di Blandings. Ma questo gong non poteva risuonare in un momento peggiore, perché è esattamente quello in cui compare l'annuncio del volo da Zanzibar. Cristiano non può quindi dirle, come vorrebbe: «Allora passo a prenderti e ti porto nella mia vita». Addirittura, resta un attimo in un silenzio sopraffatto. Poi: – Brava. È la cosa migliore che puoi fare.

– E allora ci vediamo?

Ma porca miseriaccia ladra e bastarda, perché tu mi chiedi questo, Adele, mentre io aspetto una signorina all'aeroporto? Per un istante considera l'ipotesi di scappare da Caselle, e lasciare che la fidanzata preferita si prenda un taxi e subito dopo chiuda il fidanzamento (tra l'altro ha anche un marito, questa fidanzata, e non si capisce perché non l'abbia chiesto a lui, di venire a prenderla a Caselle). Ma nella vita vera, a differenza che nei film francesi, certe cose non si fanno, e quindi le dà la stanca risposta d'ordinanza:

– Mi spiace tanto, ma stasera non posso proprio. Ci vediamo domani?

– E chi lo sa come mi sentirò domani? Ciao, ti saluto che arriva il pullman.

«Ecco, non c'è piú. L'ho persa. Neanch'io ho saputo acchiappare le decisione».

Tommaso, invece, la decisione l'ha acchiappata eccome, e appena il cellulare di Adele non è piú occupato, la chiama.

– Wendy, luce della mia vita!

Adele non ha neanche tempo di sgarbugliare la sensazione strana che le ha lasciato il morbido rifiuto di Cristiano, e già si trova alle prese con il titolare dell'amore, per quanto la riguarda.

– Ah, sei tu.

– Quanta freddezza.

– Mi chiami per il lavoro?

– Ti chiamo perché ti adoro. Ma non parliamone al telefono. Stasera passo da te, se ti va.

– Non saprei.

– E dài. Perché sono sparito? Avevo bisogno di pensare a te. Ora sono pronto.

Non esiste donna che sappia resistere alla frase «Ora sono pronto».

Ma contrariamente alle sue speranze e aspettative, quando arriva in via Varallo, Tommaso trova soltanto Adele. Eva e Jezz sono a casa di Giona, dove passeranno quattro giorni, perché Giona, Marisa e Susanna sono partiti per una mini-crociera alle Baleari, vinta grazie a un coupon ritagliato dalla scatola di «Supersoft lana e seta», e hanno chiesto a Eva di custodire casa e animali in loro assenza. Marisa era contraria, avrebbe preferito i ladri.

– Tua sorella? Tu sei pazzo. No guarda, do le chiavi a mia mamma e...

Osserviamo Giona Fasano, un uomo mite. Raramente si oppone a sua moglie e a sua figlia Susanna, un'ossessa che vuole diventare pilota di Formula 1, simpatica e affezionata al padre, ma incapace di capirne le delicatezze. Le sue donne sono truzze di carattere, hanno sempre l'ultima parola, e Giona ha portato alla perfezione l'arte di sopravvivere svicolando. In particolare, quando si tratta di Eva, l'opposizione di Marisa è strenua. Marisa infatti teme che la zia abbia cattiva influenza su Susanna, e che un giorno sua figlia possa mettersi anche lei a vivere una vita disordinata e precaria, senza soldi e senza marito. Un destino buio come una notte carbonara, agli occhi di Marisa. E quindi Giona è appunto mite, e non si oppone. Ma questa volta anche lui dà il suo contributo alla potente marcia del destino. Come un eroe omerico o un dio minore dell'Olimpo, Giona fa la sua parte quando dichiara che mai, mai...

– Le chiavi di casa nostra a tua madre non le do, Marisa, sentimi bene. Lo sai benissimo che passerebbe quattro giorni a frugare fra le nostre cose, rivoltare cassetti e armadi. Non se ne parla.

– Perché, hai qualcosa da nascondere?

Ma già mentre fa questa domanda, Marisa conosce la risposta: certo, cosí come lei e probabilmente anche Susanna. Tutti hanno qualcosa da nascondere, ma con nonna Mariella è fatica sprecata. Nonna Mariella è un essere umano in parte radar e in parte scavatrice, e nulla le sfugge.

– Mia sorella almeno non è curiosa. E lo sai. Si piazzerà qui con sua figlia e si occuperà con cura dei cani e dei gatti e delle piante. O lasciamo la casa a lei, oppure andate voi due che io non parto.

All'idea di presentarsi in crociera senza un marito, come una poveraccia divorziata, Marisa capitola.

– Ma se trovo un capello fuori posto, uno, lei e quella stracciona di sua figlia le faccio volare fino al Monviso!

Susanna sbarra gli occhi. Ma allora sua madre è cattiva.

Cosí Eva e Jezz hanno ottenuto quattro giorni di frigo pieno, orto a disposizione, e duecento euro che Giona le ha dato di nascosto, e a Tommaso non resta che passare la serata con Adele e, pur senza averne minimamente l'intenzione, farla innamorare piú che mai.

– Ci vieni a suonare alla festa della Biancone? – gli sussurra lei verso le tre del mattino, avvinghiata a lui come un dattero alla roccia. – Ti danno seicento euro.

– Contaci. Sarà una serata indimenticabile.

Tommaso si addormenta immediatamente, mentre Adele resta sveglia a guardarlo. Restare sveglia a guardare l'uomo amato che dorme è una delle piú perniciose attività femminili. Mette sempre in testa delle idee sdolcinate. E infatti Adele guarda e riguarda le lunghe ciglia di Tommaso e il colore sano della sua pelle, e a un certo punto, nell'ora piú stregata della notte, decide di lasciar andare la vita che ha perso, non cercare piú di aggiustarla con l'Attak, e cominciarne invece una nuova, incerta e deliziosa, insieme a quest'uomo che dorme accanto a lei. Se l'attraversa un fugace pensiero dell'altro uomo, quello a cui pensa quando il tramonto mette nostalgia di cose che non si sono mai avute, è un pensiero che attribuisce all'antico progetto di sposarsi ancora, e sempre meglio. «No, – pensa, – basta. Vivrò frugalmente, e con una buona connessione Wi-Fi avrò tutta la cultura, l'arte, lo spettacolo e la letteratura di cui avrò desiderio. Che bisogno c'è di passeggiare veramente fra le strade di Edimburgo, o di ascoltare dal vivo i Muse, o di partecipare al Bike Pride di Liegi, quando c'è Internet? Vivrò con te da donna innamorata, mio Manuel, e se sarà necessario lavorerò anche. A Follonica. Diventerò una donna che lavora a Follonica. E comunque a Manuel dovrò dirlo con tatto, molto tatto».

– Capito? Questa mia amica mi ha chiesto di suonare alla festa della Biancone, e ci sarà pure la ragazza, l'hanno presa come cameriera.

– Quella ladra! Devo avvertire subito Mar...

– Non devi avvertire proprio nessuno. L'unica cosa che devi fare è fingere di non conoscermi. E dillo anche alla tua amica. Io sono Manuel De Sisti, pianista e animatore.

– Beh? Perché? Saresti qualcosa di diverso?

Tommaso, dopo essere come al solito scomparso da casa di Adele, che a differenza di Psiche non riesce a star sveglia a lungo mentre il suo amato dorme, ha raggiunto piazza Maria Teresa, e ha colto Clotilde ferma sul portone, in attesa di un taxi che la conduca all'aeroporto.

Alla vista del figlio, la Castelli ha sfoderato, nel senso che ha estratto dai guanti, tutte e dieci le unghie, pronta a infilargliele sotto pelle, con un rivoletto di bava e sangue all'angolo della bocca. Ma l'agile pianista e animatore l'ha bloccata, assicurandole appunto che la lunga attesa è finita, e la Terra Promessa è alle porte.

– Quindi relax, madre. Tra pochi giorni quel caro ricordo, non ho capito di chi, penzolerà di nuovo dal tuo collo segnato dal tempo.

Clotilde lo guarda malissimo, ma decide di ricavare almeno un utile diretto dallo sgradevole incontro. Perciò rinuncia ad aspettare il taxi e sale con un moto di disgusto sulla Renault color cacca dorata, ingiungendo al figlio di portarla a Caselle.

– Ok, però devi farmi il pieno.

– Tu sei pazzo. Allora tanto valeva prendere il taxi.

– Infatti, ma ormai... D'altra parte, se non mettiamo benzina ci fermeremo in tangenziale, piú o meno all'uscita per Rivarolo.

Digrignando i denti, Clotilde fa il pieno al figlio, e il viaggio prosegue in un gelido silenzio, finché Tommaso non cerca di creare un minimo di atmosfera complice.

– Vuoi una gomma? – chiede, estraendo dalle tasche un pacchetto di chewing gum e porgendolo alla madre, un gesto amichevole che incontra una seria ripulsa, in quanto Clotilde lo afferra e lo scaglia tutto intero dal finestrino sputando.

– Fuuu! Fuu! No! Voglio il mio medaglione!

– Arriva, non ti preoccupare. Dove stai andando?

– A Roma. A registrare una puntata di *Chiozzotte*.

– Chiozzotte? E cos'è?

– Un talk show. Non l'hai mai visto? Conduce Giga Erbas. Venerdí sera, seconda serata. Ci sono due gruppi di donne che litigano su temi culturali. Si rifà alla celebre commedia di Goldoni. Questa puntata è dedicata alla depilazione.

– Temi culturali, hai detto?

– Cultura di vita, vita della cultura.

– E su cosa litigate, scusa?

– Tre a favore, tre contro. A favore sono la Paltrinieri, Fulvia Barelli e la senatrice Orletti. Contro siamo io, Irina Mucche e Laodicea Pix.

– Sei contro la depilazione? Ma se non ti ho mai visto un pelo addosso!

– E allora? Una donna come me non può dichiararsi a favore della depilazione.

– E se ti chiedono di mostrare l'ascella?

– La mostro. Ho messo le extension.

Tommaso accosta. Sono davanti all'ingresso dell'aeroporto. Clotilde scende sbatacchiando il piú possibile la portiera. Tommaso resta un attimo appoggiato allo schienale. È una bella giornata di sole. E se mollasse tutto e prendesse il primo volo per ovunque?

«E se non me ne andassi piú?» pensa invece Eva, completamente conquistata dalla vita sicura e facile che le è toccata momentaneamente in sorte. Erano anni che non passava quattro giorni senza lavorare. O almeno, senza lavorare compulsivamente per comprare cibo e altri elementi necessari alla vita. Qui, a casa di Giona, quello che fa lo fa per bellezza, per arte, per armonia. Sistema il giardino, attacca bottoni, riordina cassetti. Marisa, con tutta la sua prepotenza, non sa tenere bene una casa. Guarda un po', pensa Eva, tutte queste pentole, questi frullatori, la macchina del pane, la macchina del gelato, stanno lí come cornici d'argento, per figura. Il pane lo compra fatto, il gelato lo compra fatto, i sughi li compra fatti. Ci abitasse lei, in una cucina cosí.

Lei e Jezebel hanno trovato casse di vecchi giocattoli di Susanna, e passano in rassegna peluche e strane macchinine con gli occhi, che se le tiri contro il muro vanno in pezzi e poi tornano sane. Guercio non sta nella pelle, qua ci sono altre bambole, alcune molto femminili.

Anche Zarina è felice, perché dietro casa c'è un campo, e può correre come forse correva nella sua infanzia bielorussa.

– Ma tu adesso capisci l'italiano? – le chiede Eva una sera, mentre finisce di allineare per dimensioni e colore i libri di scuola di Susanna.

Zarina non lo nega.

– E il russo, te lo ricordi?

Zarina non nega neanche questo.

– Sei un cane bilingue.

Mentre prepara la cena per tutti e tre, composta da pastina e zucchine, prosciutto frullato con Philadelphia e crocchette di pollo, Eva si chiede cosa farebbe Giona se lei gli dicesse:

«Allora resto. Una camera in piú ce l'avete. Farò per voi pane, gelato e sughi. Vi poto le rose un po' meglio di cosí. Lavo i golfini a mano. Perché no?»

Ma mentre assaggia la pastina, le cade l'occhio sul calendario appeso nella cucina dei Fasano. È gigantesco, e consiste in dodici foto di Marisa. È un regalo fatto a Giona, dai suoceri.

La Marisa di maggio fissa una rosa finta, che tiene in pugno bilanciandola simmetricamente fra le due tette appena affioranti da una maglietta verde oliva. Cerca di avere un'espressione accattivante e, osservando il tentativo, Eva capisce perché no.

– Allora si continua come sempre, ragazze, – informa le altre due, che la ascoltano un po' stupite dal tono rassegnato. Cosa c'è di meglio di come sempre?

Adele. Kara Karamella

Anche quando ero ricca, le feste le ho sempre odiate, perciò stasera mentre allineo flûte sui vassoi non provo rimpianti. So che nella mia nuova vita di donna sentimentale mi mancheranno molte cose, ad esempio il Festival di Glyndebourne (ci sono andata sempre in questi sette anni), i quadri di Toccafondi (quelli che avevo sono finiti nel sequestro generale e non potrò comprarmene mai piú) e un inestinguibile account su Amazon, ma di certo non mi mancheranno le feste, che ero costretta a dare per compiacere quel ladro malvissuto di mio marito.

Accanto a me, Eva sta dando gli ultimi tocchi a trecento pasticcini allo zenzero che ha appena finito di sfornare. Manuel è con noi, e ci guarda lavorare fumando. Lui per adesso non ha niente da fare, il piano è pronto, lo smoking gli sta alla perfezione, il cravattino è ancora slacciato. Ha in braccio Jezz, che se ne sta rannicchiata contro di lui come un'ape sul fiore. Mi struggo a guardarlo, e mentre sistemo i bicchieri fila dopo fila, prendo una decisione semplice quanto fulminea. Stasera è la sera giusta. Stasera gli dico che lo amo. Che è il primo uomo che amo e che per lui ho rinnegato tutto ciò in cui credevo. Secondo me, una dichiarazione del genere fa sempre il suo effetto.

In quel preciso istante, per uno di quei casi misteriosi che si spiegano soltanto con il particolare allineamento di alcuni pianeti in alcuni momenti, guardo fuori dalla finestra dell'office e vedo l'ennesima macchina fermarsi nel parcheggio e gli ennesimi invitati scendere. Solo che non sono gli ennesimi invitati, sono Clotilde Castelli, suo figlio Cristiano, e una ragazza alta con gli occhiali.

– Eva! C'è lei!

Eva, che raramente fa una domanda quando può sostituirla con un'azione, si avvicina e guarda. Anche Manuel si avvicina incuriosito e, lui sí, chiede:

– Lei chi?

– Quella signora, la vedi? Clotilde Castelli... sai no? L'hai mai vista in tv?

– Mai senza cambiare canale. E perché t'interessa?

– Non è a me che interessa... è a Eva.

La quale si è paralizzata, e sta già slacciandosi il grembiule. – Me ne vado.

La blocco. – E perché? Non ti riconoscerà mai. Ti ha vista un mese fa per cinque minuti. Con i capelli negli occhi, una bambina in braccio e i jeans bucati. Adesso sei completamente diversa.

In effetti, Eva sta benissimo con la divisa nera e il grembiulino, i capelli raccolti, le ballerine nere di vernice. Sembra nata per fare la cameriera chic. Unico particolare stonato, il dannato medaglione.

– Ma c'è anche il figlio. Lui mi riconosce.

– E allora? Basta che ti levi quello.

Manuel ci guarda perplesso.

– Il medaglione, – gli spiego. – Adesso è una storia lunga, ma quella tizia vuole il medaglione di Eva. È veramente fissata. Farebbe qualsiasi cosa per riaverlo.

– Ma va? – Manuel fissa il medaglione incredulo, è evidente che non ci ha mai fatto caso, del resto, in generale, direi che non fa troppo caso a Eva.

– Dài, – insisto, – levatelo, mettilo in tasca e vai tranquilla. Comunque alle feste la gente non nota le cameriere. Cioè, le femmine non le notano. I maschi notano a volte quelle carine. Non c'è motivo che tu perda cento euro.

Eva annuisce. – Hai ragione, quella strega mi ha già rotto le scatole abbastanza, ci mancherebbe altro che perdo dei soldi per lei –. Si leva la catenina, e scopre di non avere tasche. Nessuna di noi due ha tasche. Per fortuna che c'è Manuel il quale invece ne ha un po' dappertutto.

– Dài a me, – dice, – te lo tengo io. Di certo quella tipa non verrà a cercarlo da me –. E ride, tremendamente divertito da chissà cosa.

Eva annuisce e gli porge catenina e medaglione. Manuel se li mette in tasca, poi mi strizza l'occhio.

– E ora devo andare, ragazze. Mi sa che hanno bisogno di un po' di musica di sottofondo.

– Ti sei già fatto una scaletta dei pezzi? Con cosa cominci?

– Non so... pensavo a Kara Karamella.

Per me non vuol dir niente, ma Eva si ribalta dal ridere: – Dàaai! Sarebbe come quella canzone che cantava mia nonna... la festa appena cominciata è già finita! Li spedisci tutti, proprio!

Manuel ridacchia pure lui. – La conosci? Casomai potresti cantare.

E sotto i miei occhi, Eva si trasforma: nonostante la pettinatura, il grembiule e le scarpette, in un attimo le viene la voce roca e l'espressione torva, e in una specie di rantolo frenetico, pestando duro sul banco con la paletta da dolci, sbraita: – Kara Karamella sei fuggita col torrone e mi hai lasciato solo...

Senza fare una piega, Manuel la accompagna con dei gemiti stridenti. Tutto questo è orribile. Gli altri camerieri sono pietrificati, tranne uno, piccolino, biondo, con i capelli decrestizzati a furia di gel, che salta felice: – Ehi! I PunKarrè! Cazzarola, i PunKarrè!

Vidussi e Pulfero, che stanno scaricando vol-au-vent, si bloccano e sembrano interessati.

– Ehi... lo conosci mio figlio? Fa grindcore, – dice Vidussi, un bell'ometto coi baffi.

– Come si chiama? – chiede Manuel.

– Red Brick Vidussi.

– Red Brick? Ma veramente? Certo che lo conosco, l'ho visto al rave di Pontedera.

– E allora! Mancano solo i cani antidrogaaaa!

Non sarebbe da Ernesta urlare cosí, ma stasera è scossa. Colpa dei signorini, attesi per la festa, che viceversa hanno sbagliato volo e al momento sono in arrivo a Ulan Bator. Marta l'ha presa con filosofia, sa che assomigliano al padre, ma Ernesta non si sta dando pace. Quando mai li rivedrà? E se in Mongolia li arrestano?

Il suo richiamo tronca la simpatica reminiscenza, Vidussi e Pulfero chinano la testa, e Manuel fila via, dopo aver posato Jezz tra le braccia di sua madre, che non sembra piú un'ossessa. Non li capisco e non me ne curo, perché in realtà la mia attenzione è concentrata su un altro pensiero: chi sarà la tipa insieme ai Castelli? Dev'essere la famosa amante preferita di Cristiano, quella che era a Zanzibar. Bene, non è roba che mi riguarda. Ormai non devo piú cercare di sposarlo. Adesso amo un uomo bellissimo, povero, e che soprattutto non c'entra assolutamente niente con questa storia del medaglione.

Sostenuta da questa certezza, mi presento in sala con il vassoio di champagne. Per fortuna il mio sistema nervoso è fatto di gomma vulcanizzata, perché le prime persone che vedo saltabeccare tra una massa già considerevole di invitati sono mia cognata Guenda e mio cognato Ruggero. Lei è vestita di beige luccicante, una soluzione abominevole prediletta da chi vuol essere festoso e sottotono contemporaneamente. Una volta ho scritto un piccolo saggio privato sulla predilezione delle donne di Biella per tutte le sfumature del beige: le piú audaci arrivano fino al marron cioccolato, le piú allegre al panna, ma oltre queste due colonne d'Ercole dei colori smorti è difficile che si spingano. Ruggero sta ridendo, naturalmente, e cosí, tanto per fargli prendere uno spavento, e sperando che magari si strozzi con la sua stessa saliva, gli vado davanti dritta sparata.

– Gradisce un po' di champagne, signore?

– AAAAHHH! – fa lui. Strilla, come le sorellastre di Cenerentola quando vedono Giac e GasGas. Intorno a lui si manifesta interesse: quell'uomo ha strillato, che sarà successo?

– Allora forse preferisce un aperitivo analcolico? – sussurro, soave. Lui però si è già ripreso, e mi guarda con perfetta indifferenza: – No, grazie, lo champagne va benissimo –. Prende un bicchiere per sé e uno per Guenda, che si è avvicinata e mi guarda facendomi gli occhiacci. «Non mi salutare, non parlare, sparisci», mi dicono quegli occhiacci.

Io vorrei resistere, vorrei, ma non ce la faccio. Le sorrido:

– Ehilà, Guendy. Come stanno i bambini?

Mentre lei diventa rosa shocking, mi volto verso quei sei o sette marchesini o avvocatesse che si sono assiepati, e spiego:

– Eravamo compagne di scuola. Poi la vita ci ha divise, ma l'antico affetto rimane, vero, Guendy?

E qui la vedo lottare. Vorrebbe girarmi le spalle e andarsene, ma vorrebbe anche dirmi qualcosa di orribile, me ne accorgo da come si agitano le sue labbra silenziose. E vincono loro, perché mia cognata mi dà una leggera spinta verso un angolino riparato, e sibila:

– Già che ci siamo, cara, Ruggero ha sentito suo fratello.

– Ah. Quindi è vivo.

– Altroché. Lui e Sveta hanno aperto un'attività e stanno da Dio.

– Coltivano oppio?

– No, fanno il cachemire. È illegale ma rende. Tosano capre a tradimento in Tibet.

– Come filastrocca sarebbe meglio tosano trote a tradimento in Tibet.

Con Guenda è fiato sprecato. Mi lancia un'occhiata di fuoco:

– Le trote non hanno peli, cretina!

Bob Wilson

Cristiano è fra quelli che hanno notato il momento di contatto fra i Molteni e Adele, e sapendo chi è lei e chi sono loro, l'ha apprezzato. Ha apprezzato, in generale, l'aspetto di Adele, che gli fa venire in mente uno di quei film francesi in cui la protagonista si finge cameriera a scopo di commedia. E in questa serata che sembra organizzata dal bravo Puck o dal suo padrone Oberon, l'amore lo coglie un po' di sorpresa, mentre cerca in ogni modo di avvicinarsi a lei per prendere dal suo vassoio, e non da altri, il calice di champagne. Sentendo qualcosa che gli frulla fra le costole per l'ansia di raggiungerla, e una specie di commozione bruciante dietro gli occhi, si rende conto che questo è per lui qualcosa d'inedito, che una sensazione cosí potente non l'ha mai provata né per Carla Rocchetti né per Lucia Garolli, né per le altre rosse o bionde o brune con cui ha diviso ore, giorni, settimane o mesi della sua vita, senza mai giungere all'anno, e neanche per Maria Olivia qui presente, con la quale ha toccato i tre anni solo grazie allo status riconosciuto di amante, essendo lei ancora e speriamo per sempre la moglie dell'ortopedico dottor Brunotti. Questa Adele venale e incapace di amore, cosí intelligente e con quegli occhi lí, questa Adele che corre come un animaletto da afferrare e portarsi nella tana, questa Adele lo ha fatto innamorare. Quindi tutto lo scombussolato andirivieni d'intenzioni che lo impiccia da settimane non è altro che questo, l'amore tombolato fin dentro di lui, e a nulla è servito, l'altro giorno all'aeroporto, allontanare da sé il calice agrodolce.

E va bene. Se ne fa una ragione dopo una ventina di passi, quando è a metà strada fra il punto di partenza e il mutevole punto di arrivo rappresentato da Adele che si sposta col vassoio, e con gratitudine profonda verso il destino Cristiano sa che lei gli dirà di sí, gli dirà di sí anche se c'è altra gente che le telefona e che la porta fuori la sera, gli dirà di sí perché vuole un marito ricco, e lui è ricco, e se proprio vuole la sposerà, e lei potrà riprendere la vita che tanto le piaceva, e lui potrà averla nella sua casa per sempre, perché ormai solo vederla ogni giorno gli consentirà quella vita priva di dolore che suo fratello Tommaso si è garantito con l'indifferenza. Tutte queste cose naturalmente Cristiano non le pensa, lo attraversano rapidissime e senza grande consapevolezza mentre si fa largo fra gli invitati per raggiungere Adele, che quando lo vede arrivare si ferma, e gli sorride, un sorriso di giovane donna innamorata che sta per dire all'uomo di cui è innamorata che è innamorata di lui. E quindi si prepara a dire all'uomo che voleva sposare per interesse, che non vuole piú sposarlo per interesse. Si guardano, e nessuno dei due capisce quello che passa per la mente dell'altro. Cristiano le sussurra: – Ti devo parlare, – e lei gli sussurra: – Anch'io, – poi si allontana col vassoio, lasciandolo in stato confusionale, ma certo di aver in qualche modo svoltato la vita.

Confuso, e certo di aver svoltato la vita, Cristiano si sente tirare istericamente per una manica, e voltandosi vede Maria Olivia che lo fissa ingrugnita.

– Invece di occhieggiare le cameriere come un vecchio bavoso, vieni un po' che tua madre si sta agitando per qualcosa.

Maria Olivia è cosí, e per questo gli piace: una ragazza alta con gli occhiali, tagliata con l'accetta dal punto di vista psicologico ma finemente cesellata dal punto di vista fisico. Normalmente, Cristiano si difenderebbe dall'accusa di occhieggiare, ma a questo punto è inutile, visto che appena avrà occasione di stare cinque minuti solo con lei informerà Maria Olivia che la loro relazione si è felicemente conclusa. Per ora la segue senza dire una parola fino a un angolino in cui trova Clotilde effettivamente molto agitata.

– È qui! Eccola!

Clotilde indica di nascosto qualcosa. Indicare di nascosto non è facile: non si può puntare il dito, quindi bisogna fare piccoli movimenti con la testa e con gli occhi in una determinata direzione. Per sicurezza, Clotilde aggiunge anche lievi movimenti con la borsetta, colpendo accidentalmente Maria Olivia al plesso solare. La giovane donna fa:

– Ouch!

– Scusa cara, scusa... l'hai vista? Cristiano l'hai vista? È là... fra Bubi Dolmizzi e la figlia di Tomboletti.

Grazie a queste precise indicazioni, Cristiano vede Eva, in versione Alta Società, che porge puffetti al roquefort ad alcuni invitati dai gusti forti.

– E allora? Lo sai che lavora per la Biancone.

– Va da lei! Fatti dare il medaglione!

– Non ce l'ha.

Aguzzando la vista come spesso c'invita a fare «La Settimana Enigmistica», Clotilde Castelli nota che effettivamente Eva non ha il medaglione al collo. Inviperitissima, si volta verso il figlio e, se non fosse circondata dalla migliore società torinese, è poco ma sicuro che gli addenterebbe la giugulare, ponendo fine a quell'esistenza inutile.

– Ecco! Non ce l'ha! E lo sapevo! Ormai l'avrà venduto e non lo ritroveremo piúúú! – urla pianissimo Clotilde. Neanche urlare pianissimo è facile: bisogna metterci enfasi e una certa violenza, ma non superare il livello afono.

Poche ore prima, Cristiano è stato informato del vero motivo per cui Tommaso gli stava porgendo questa interminabile visita di primavera.

«Fai finta di non conoscere tuo fratello, stasera», gli ha detto la madre mentre aspettavano Maria Olivia sotto casa sua.

«Tommaso? L'hanno invitato dalla Biancone?»

«No. L'ha assunto come pianista. È un piano per recuperare il mio medaglione. Marta ha ingaggiato la ladra come cameriera».

«Cioè? Che deve fare Tommaso? Sedurla?»

«Per carità. Tempo perso. Deve rubare la catenina, punto e stop. Almeno la chiudiamo, questa storia».

Cristiano avrebbe voluto commentare e fare parecchie domande, ma il portone si era aperto, e Maria Olivia era comparsa in tutta la sua altezza piú i tacchi, e non c'era stato tempo. Quindi non sapeva nulla di tutti i complessi rapporti intercorsi fra le abitanti di via Varallo e il cosiddetto Manuel De Sisti. Pensava a un *impromptu*, un piano nato all'ultimo momento, nulla che coinvolgesse la preziosa Adele. Perciò ora commenta, con tranquillo disinteresse:

– Calmati, mamma. Non lo porterà mica sempre. Forse stonava con l'uniforme. O magari Tommy gliel'ha già rubato.

– Puah! Tuo fratello! Era meglio se partorivo delle statuette di ceramica!

Affascinati da questa immagine ardita e nello stesso tempo delicata, Cristiano e Maria Olivia la guardano allontanarsi e affogare la sua rabbia in uno scodellino di mousse di gamberi in salsa di lime. Maria Olivia commenta:

– Scusa, ma che storia è? Che medaglione? Chi è quella ragazza?

– Non ci pensare. Sai com'è mia madre. Possiamo uscire un attimo in giardino? Avrei una cosa importante da dirti.

Intanto Tommaso suona. Suona Cole Porter e Burt Bacharach. Suona vecchie canzoni di Raf e rarità di Irving Berlin. Suona banali medley degli anni '60 e stucchevoli medley degli anni '50. Suona una sua personale versione ambient di *Il coccodrillo come fa*, e un'incantevole versione chopiniana di *Adesso tu*. Suona perfino un po' di Chopin vero, e nessuno se ne accorge. Suona, e suonando segue con lo sguardo Eva. Si accorge, con la coda dell'occhio, di sua madre che ogni tanto lo guarda e fa finta di niente, di suo fratello che ogni tanto lo guarda e fa finta di niente, di Marta Biancone che pure lei ogni tanto lo guarda, e non sa perché gli viene in mente una volta che stava in mezzo a un'opera di Bob Wilson: una saletta, quattro pareti coperte di ritratti in forma di video, gufi apparentemente fermi che ogni tanto si muovevano impercettibilmente, ma solo quando tu ne guardavi un altro. Sensazioni di vita con la coda dell'occhio.

Quando si prende una pausa, non vuole parlare con nessuno, e quindi sgattaiola in giardino, e si nasconde.

Adele lo vede sgattaiolare, ma non può seguirlo, è arrivato il momento dell'aragosta in gelatina. Gira con quei tremolanti monticelli fino a quando Ernesta la informa che può prendersi una pausa. Anche Eva è in pausa. Sta sistemando meglio Jezebel che dorme su due sedie accostate e imbottite di cuscini.

– Avanza un sacco di roba, – sussurra entusiasta ad Adele. – Ernesta ha detto che ci fa un bel pacco. Dov'è Manuel? Non è che se l'è filata col mio medaglione?

– Ohu, ma stai diventando paranoica, eh?

– Glielo hai detto?

– Che lo amo? E quando, scusa? Mentre servivo aragosta in gelatina?

Adele si rilassa, muscolo dopo muscolo, e in quel momento si ricorda dell'iPod, che il giorno prima ha dimenticato in stireria. Scivola veloce lungo i corridoi e i passaggi che portano alla lavanderia, ma quando arriva alla porta socchiusa non la tocca neanche, perché sente dei bisbigli. S'immobilizza, pensando a ladri che tra un attimo piomberanno nel salone armati di mitragliatori vari, e rapineranno tutti gli invitati.

Trattiene il fiato, Adele, e si prepara a girarsi pianissimo per correre a dare l'allarme, quando inizia a decifrare le parole contenute nei bisbigli, e capisce che non sono ladri, purtroppo.

Una voce è quella rimbombante di Umberto Gambursier, mentre l'altra non la conosce, ma non è quella di Marta Biancone. Il dialogo è concitato: lui è un po' seccato, lei molto nervosa.

– Ma ti sembra il caso? Proprio qui... adesso... non andava bene vederci domani come avevamo detto?

– No... non andava bene perché io sono agitata adesso...

– Forse dovresti provare con lo yoga. Samaritana Bur...

– Sta' zitto... dove diavolo ce l'hai la lampo?

– Bottoncini, Clotilde, bottoncini.

Adele si allontana a passo di lumaca per non farsi sentire, molto inorridita. Possibile che Clotilde Castelli abbia una storia con il marito della sua migliore amica? Possibile che la vita sia cosí sciatta, cosí mediocre, cosí uguale alle peggiori rappresentazioni che di lei si fanno? Ma certo, pensa Adele, possibilissimo. Tutto è sempre a livello zero: mio marito con la russa, suo marito con la migliore amica... e qualche altro marito con la segretaria, con l'allieva, con la vicina. E non è neanche riuscita a recuperare l'iPod.

La festa, intanto, si sta pian piano inaridendo. Caffè, pasticcini, ancora un po' di musica, e poi un veloce fuggi fuggi d'invitati, accompagnati da esausti saluti dei padroni di casa, nel frattempo ricomposti come coppia. Al piano non c'è piú Manuel, ma un'amica di Marta, una vecchia hippie con i capelli tinti di un rosso acceso, che pesta sui tasti berciando vecchie canzoni dei Lovin' Spoonful, che non vanno berciate, e di Suzi Quatro, che invece si berciano bene. Ernesta comincia a mandare a casa catering e aiuti. Tra le prime che vorrebbe liberare ci sono Adele ed Eva, in modo che Jezebel possa continuare a dormire in una sede piú opportuna.

– Portate a casa 'sta creatura.

Sia Adele che Eva, però, per motivi diversi, vorrebbero rintracciare Manuel prima di andarsene. Adele vuole parlargli, Eva vuole il suo medaglione. Quando vengono informate del fatto che Manuel se n'è andato piuttosto di fretta mezz'ora prima, Adele la prende con filosofia: glielo dirà domani, che lo ama e vuole seguirlo ovunque lui andrà, ubi Caius ibi Caia. Eva invece non la prende affatto con filosofia, e si accascia sul fornello.

– Lo sapevo che non dovevo separarmi dal medaglione. Lo sapevo, lo sapevo, e adesso come faccio, sarà sfortuna nera per me e Jezz!

Adele la trova decisamente sopra le righe.

– Eva, stai calma. Si è semplicemente dimenticato di averlo in tasca. Non ti preoccupare, domani passerà a portarcelo. Per stasera non credo che a te e a Jezz possa succedere granché.

– No! Me l'ha preso... sono sicura... me lo sento dentro...

– E cosa se ne fa Manuel del tuo medaglione, me lo dici?

Ed è a quel punto che interviene Ernesta, pacata.

– Non si chiama Manuel.

Adele ed Eva la guardano, letteralmente a bocca aperta.

– È stato via tanto tempo, ma io l'ho riconosciuto subito, è venuto spesso con sua madre.

A volte, nei momenti molto strani della vita, capita alle persone di vedere le cose a cartone animato. La realtà si appiattisce, perde una dimensione, e i colori migliorano molto. Cosí, mentre ancora Ernesta finisce di parlare, Adele vede in forma di cartone animato quello che ha sempre visto, ma ha sempre tenuto sepolto in uno degli strati inferiori della mente. E capisce chi è Manuel.

– Certo. Sono diversi ma si assomigliano.

Eva smette per un attimo di disperarsi. – Chi?

– Manuel e Cristiano. Sono fratelli. Lui è figlio di Clotilde Castelli, vero?

– Certo. Tommaso, si chiama. Voleva fare uno scherzo, mi ha detto la signora Marta.

– Io lo ammazzo, – si propone, sincera, Eva.

Adele. Sir Williams

Una cosa che ho sempre apprezzato di me stessa è che mi piace agire. Ad esempio, portare cani al canile, anche se poi me l'hanno impedito, o costringere la gente a sposarmi. Se c'è da fare, faccio. Cosí stamattina mi sono alzata, ho messo su il caffè, e ho valutato gli impegni della giornata: nessuno. A stirare non ci devo andare, e non ho soldi per nient'altro d'interessante. Il programma originario prevedeva di stare con Manuel, cioè Tommaso, a contemplare il nostro futuro insieme e fare molte cose belle da sdraiati. Adesso il programma è cambiato. Molto cambiato.

Eva stanotte ha dato in escandescenze per un po', poi si è calmata ed è andata a dormire. Stamattina ha archiviato la pena. Ha gli occhi cerchiati come un koala, e una faccetta che perfino a me, che sono senza cuore, mette i brividi. Ma è calma.

– Perché capisci, Adele, gliel'ho dato io con queste mani. Me la sono voluta. Non dovevo toglierlo, mai.

– Eh già, cosí la tipa ti saltava addosso durante la festa e te lo strappava.

– Non se io la picchiavo forte.

– Beh, la serata avrebbe preso una brutta piega.

– E adesso invece l'ha presa la mia vita, una brutta piega. Andava tutto bene. Vedrai che per prima cosa mia zia torna e ci chiede la casa.

Questa volta a spingermi all'azione è un misto di sentimenti affettuosi e di egoismo. Se la zia torna e ci chiede la casa, io dove vado?

– Non ti preoccupare, Eva. Il destino è intervenuto a nostro favore. Ora vado dalla Castelli e mi faccio ridare il medaglione. Posso ricattarla.

Eva si illumina:

– Puoi ricattarla? E cosa aspetti?

Tipico suo non chiedermi perché posso ricattarla. La mancanza di curiosità di Eva non finisce mai di affascinarmi: con lei il serpente non avrebbe avuto una sola chance.

– Aspetto di sapere dove abita, ad esempio.

E non è facile: sono costretta a investire dieci euro in una ricarica del mio cellulare, e a chiamare Ernesta, a cui vorrei propinare la storia che ho concepito: mi serve l'indirizzo della Castelli perché voglio andare a chiederle se posso stirare anche da lei. Ma Ernesta non mi lascia propinare niente, perché attacca subito lei:

– Guarda, Adele preferisco non sapere. Mi pare di aver capito che tu e la tua amica avete un problema con la signora Clotilde, e non voglio essere coinvolta perché la signora è tanto amica dell'avvocato, ma personalmente non l'ho mai avuta in simpatia, quindi ti dico volentieri che abita in piazza Maria Teresa 6, però ho sentito ieri che diceva alla signora Marta che si trasferiva per qualche giorno in campagna da suo figlio. A Gassino. E ora, se vuoi scusarmi, devo preparare per i signorini.

– Ah, bene, arrivano finalmente.

– Speriamo.

Ringrazio Ernesta e resto lí con il mio problema. Mi tocca andare a Gassino. Questa è l'occasione giusta per consumare la benzina che mi resta. Ed eventualmente, addirittura, metterne un po'.

La mia Panda rossa è ferma qui davanti dal giorno in cui sono arrivata. Non posso permettermi la benzina, semplice. La benzina costa tantissimo, e dura poco. Se ti abitui alla benzina, è un po' come l'alcool o la droga, poi la vuoi sempre, vuoi fare continuamente benzina e andare dappertutto. Perciò ho deciso di disintossicarmi. Va abbastanza bene. La cosa che mi manca di piú sono i Gr dell'autoradio. Mi sono anche chiesta se venderla, la macchina, ma mi sembrerebbe la resa definitiva al fatto che non mi ripiglierò. Che mai piú sarò una donna normale che allunga il bancomat fischiettando al distributore Agip, senza preoccuparsi se il pieno fa cinquantaquattro euro.

Cosí non l'ho venduta, e meno male perché oggi mi serve proprio, per andare a Gassino a ricattare Clotilde Castelli.

Ma purtroppo, disgraziatamente, quando vado alla macchina e la apro con allegra baldanza, l'occhio maledetto indiscreto mi cade sul tagliandino dell'assicurazione, e vedendo scritta grossa la parola MARZO, capisco che ho un problema.

– Eva, – le chiedo in cerca di incoraggiamento, – tu ci vai in giro con l'assicurazione scaduta? – Mi aspetto un: «Sí, perché?» O anche, forse ancora di piú, un: «Assicurazione? Che assicurazione?» Invece mi guarda come se le avessi appena proposto di sputare nell'acquasantiera di San Pietro.

– Sei scema? Nessuno va in giro con l'assicurazione scaduta, a parte gli zingari.

– Okay, ma pensavo che tu te ne fregassi.

– Eh già. Chi paga, se distruggo metti la vetrina di un bar? E se faccio male a qualcuno?

– Quindi niente –. Mi siedo al tavolo della cucina, offesa a morte con lei che non mi spinge a essere trasgressiva. – Non posso andare a Gassino.

Eva posa il passaverdure a manovella (ancora esistono!) con cui sta schiacciando delle carote bollite, e mi guarda con una certa severità.

– Esiste il GTT, – mi informa.

E cosí scarpino faticosamente fino a via Fiochetto, dove ferma il GTT, autobus blu che collega Torino ai comuni della cintura. Scendo a Gassino, davanti al bar Renato, e m'informo dagli indigeni su come sia possibile raggiungere l'Azienda Agricola Castelli. A farla breve, dopo un po' di giri a vuoto, intercetto un furgoncino della ditta FROM, «Interventi per la Casa», che sta andando proprio lí a riparare qualcosa di elettrico. Il conducente mi parla per i nove minuti di viaggio delle diverse posizioni dei ripetitori televisivi nella zona. È un discorso doloroso, per me, che ogni giorno rimpiango il mio sontuoso pacchetto Sky che comprendeva tutto ciò che c'è di bello, da Classica a Juve Channel, e mi avrebbe permesso di essere abbastanza felice anche se mi fossi spaccata il bacino e fossi dovuta rimanere tre mesi a letto.

– Sa cosa mi piace? – dice il tipo, quando accenno fuggevolmente ai pregi di Sky.

– Cosa?

Lui parcheggia davanti all'Azienda Castelli, ferma il motore e scende.

– *Modern Family*. Ha presente? Quella serie americana.

Resto tramortita. Ho viaggiato accanto a quest'uomo grasso per nove minuti parlando di ripetitori, e solo ora che le nostre strade stanno per separarsi credo per sempre, scopro che avremmo potuto essere amici sinceri. *Modern Family*, la mia serie preferita! Ma non c'è tempo, lo guardo allontanarsi con la sua borsa degli attrezzi, e punto verso l'ingresso dello stabilimento. E per mia grande fortuna l'uomo che sta controllando un'interminata discesa di bottiglie d'olio da un furgone è il mio ex fidanzato inconsapevole Cristiano.

La sua reazione quando mi vede sarebbe lusinghiera, se le cose fossero andate diversamente. Non è vero che non gli piaccio, mi sono sbagliata, penso notando come s'illumina man mano che avanzo verso di lui. Ma dev'essere abbastanza miope e senza lenti a contatto, perché sono già parecchio vicina quando si accorge della mia espressione e muta la sua.

– Adele? – il tono è interrogativo, ma io capisco che sa, che ha capito, e che quel punto interrogativo è solo un modo di guadagnare tempo.

Gli sorrido fredda, perché non ho mai apprezzato lo stile Anna Magnani, e non è mia intenzione fargli una scenata di fronte a circa sei persone variamente occupate nel raggio di tre metri. Voglio fargli una scenata da scoperchiare le tombe, ma in un luogo appartato. Lui lo capisce, si scusa con gli astanti e m'invita a seguirlo attraverso ambienti che neanche vedo, fino a un piccolo giardino ombroso. Tutto questo senza che io abbia detto neanche una parola.

– Ho bisogno di parlare con tua madre.

L'ho stupito. È evidente che qualunque cosa si aspettasse da me, non era questo.

– Non è qui.

– Non ci credo. Mi hanno detto che è venuta a passare qualche giorno da te.

– Non è vero. Mia madre odia la natura.

Ci guardiamo, e nessuno dei due aggiunge altro. Mi snerva. Sono sempre stata piú brava a giocare di rimessa che ad aggredire in prima battuta. Ma questa volta ho incontrato uno che è ancora piú di rimessa di me.

– Bene, allora voglio sapere dov'è, anzi, voglio che tu mi ci porti subito, perché conviene a tutti che mi restituisca il medaglione di Eva, quello che TUO FRATELLO le ha rubato ieri sera.

A parte le maiuscole vocali, ho parlato con calma. Ognuno di noi ha un malvagio di riferimento, il cattivo a cui ispirarsi in caso di necessità, e il mio è sempre stato Sir Williams, il cattivo di *Rocambole*, un libro francese che mio nonno mi faceva leggere da ragazzina. Questo Sir Williams era quieto e falso come Giuda, e combinava le cose piú atroci sempre con la massima soavità. Inoltre si travestiva molto bene e nessuno sapeva mai con certezza se lui era lui o qualcun altro.

Forse anche Cristiano s'ispira a Sir Williams, perché neppure lui perde la calma.

– Il medaglione è di mia madre, non di Eva, e ho cercato in ogni modo di ricomprarlo. La tua amica purtroppo ha la testa di pietra calcarea.

– E quindi avete architettato questo lurido imbroglio –. Sono abbastanza contenta di avere l'occasione di pronunciare l'espressione «lurido imbroglio», tanto frequente nei libri, ma cosí rara da incastonare sensatamente nella vita quotidiana.

– Io non ho architettato niente. L'idea è stata di Tommaso. E l'ho saputo solo subito prima della festa. Ieri sera forse te l'avrei detto, non so. Avevo un'altra cosa piú importante da dirti.

– Bene, perché anch'io avevo un'altra cosa piú importante da dirti. Vuoi saperla?

Non so perché, a questo punto i suoi occhi si addolciscono parecchio, diventano scintillanti come la glassa di una buona Sacher, e per un istante mi confondo e mi ci perdo, poi però mi ritrovo.

– Volevo dirti che hai ragione tu, che non voglio una vita aggiustata con l'Attak. Ne preferisco una nuova. Perciò non voglio piú sposare un uomo ricco, e ti va molto bene perché l'uomo ricco che avevo progettato di sposare sei tu.

Lui mi rivolge un mezzo sorriso.

– E consultarmi?

– L'avrei fatto ma, come ti dicevo, ho cambiato idea. Ora voglio essere una donna come le altre, lavorare e amare.

– Perché, se sposi un uomo ricco non puoi?

– Forse, ma il punto è che mi sono innamorata. E sai di chi?

– Non me lo dire.

– Te lo dico. Di Manuel! Ovvero di Tommaso, di tuo fratello. Pensavo di andarmene con lui a Follonica.

Per un micro istante Cristiano resta sospeso, poi fa un sorrisetto, ed è come se mi sbattesse un portone blindato sul naso.

– Follonica è una brutta città.

– Non è vero. Ha una bella pineta in centro.

Sta per ribattere, ma ci rendiamo conto tutti e due che non siamo una versione vocale di «Lonely Planet», e mi affretto a riportare in alto il livello di pathos.

– E comunque non importa. Ci sarei andata con lui. E invece non ci andrò, perché mi stava dietro solo per rubare il medaglione di Eva, e ora non lo vedrò mai piú. Ed è tutta colpa tua!

Questo non è vero, lo so. Ma con qualcuno devo pur prendermela, non potendo farlo con me stessa, come dovrei, visto che sono stata io a dire a Eva di dare il medaglione a Manuel. E lui era lí, pronto, silenzioso, perfetto, al posto giusto nel momento giusto, come solo i grandi criminali sanno essere. Manuel un corno, devo abituarmi che si chiama Tommaso.

– Non è detto che non lo vedrai mai piú. Se gli piaci, e non vedo come potresti non piacergli, tornerà, e ti convincerà di essere perfettamente innocente, e tu ci crederai, e lo seguirai a Follonica, dove vivrai con lui per sei o sette mesi, finché non lo troverai a letto con una commessa della Coop di Grosseto. Poi lí bisogna vedere: forse lo pianterai e tornerai a girovagare nel Biellese, forse lui riuscirà a farti credere che quello che hai visto è stata un'illusione ottica, e resterai lí per un altro po'.

Decido di non rispondergli. Questa faccenda la affronterò poi per conto mio, perché è una bella gatta da pelare: voglio dire, m'innamoro per la prima volta a trentadue anni, solo per avere il cuore spezzato dopo quindici giorni? Non ha senso.

– Non sono venuta qui per parlare di Tommaso. Voglio farmi ridare il medaglione di Eva. Anche se fosse stato originariamente di tua madre, adesso è di Eva. Chi trova tiene, chi perde piange.

– Sei infantile.

– No, sono leninista. Ti ricordi? A ciascuno secondo i suoi bisogni. Ed Eva ha molto piú bisogno di quel medaglione di quanto ne abbia bisogno tua madre. Per lei è il talismano della felicità. È convinta che protegga lei e sua figlia da ogni male, e sa il Cielo se ne hanno bisogno. Sono sole, accidenti a te. Ha una famiglia di merda che non la aiuta, lavora come capita, sta in una casa che appena a sua zia passa la fissa della religione se la ripiglia, ma non si lamenta mai, e non si preoccupa mai perché ha quel cazzo di medaglione, scusa il linguaggio.

– Il padre di Jezebel?

– Tre rockettari finlandesi.

Lo odio, ma ammetto che è un uomo bravissimo a non fare domande. Non dice nulla per un istante, poi nei suoi occhi passa un dispiacere sincero, cosí sincero che mi disorienta.

– Allora, se vuoi parlare con mia madre, andiamo.

Si avvia, e io lo seguo.

– Andiamo dove? Dov'è?

– Qui.

– Ma avevi detto…

– Una bugia. Certo che è qui. Vieni.

L'ortopedico Brunotti

Come già abbiamo detto, la graziosa villa liberty dei Castelli si trova non lontana dall'azienda, e il suo grande giardino confina direttamente con il piccolo giardino ombroso dietro lo stabilimento, quello in cui Cristiano e Adele si sono appena scambiati le rispettive vedute sull'amore e sulla proprietà privata. Se Clotilde Castelli si affacciasse in questo preciso momento alla finestra della sua camera da letto, li vedrebbe arrivare dal sentiero e si chiederebbe come mai quella cameriera di Marta sia in compagnia di suo figlio. Questo ammesso che la riconoscesse. In caso contrario, si chiederebbe semplicemente chi sia quella ragazza con i capelli rossi. Forse una nuova fidanzata? A lei, personalmente, va benissimo Maria Olivia, già sposata con l'ortopedico Brunotti, perché non ha nessuna impazienza di avere nuore e tantomeno, Dio ne guardi, nipoti. Ma in caso la riconoscesse, proverebbe un leggero senso di allarme? Tale da indurla a battersela dalla porta della cucina, rimpiangere di non avere mai preso la patente, e mettersi a correre attraverso i campi come quella lepre di René Clément?

Impossibile dirlo, perché Clotilde Castelli non è affacciata alla finestra della sua camera da letto, bensí è in soffitta, che tenta, ancora una volta inutilmente, di fare una cosa che da tempo non le riesce. Bisogna sapere infatti che fino a non molti anni fa questa era anche casa sua, e molto di suo ci è purtroppo rimasto.

Perciò quando la signora Maria viene a chiamarla di-

cendole che ci sono suo figlio e una signorina che hanno bisogno di parlarle, scende senza sospetti.
In effetti non riconosce la signorina, perché come tutte le persone veramente egoiste vede bene gli altri solo quando le servono, e le cameriere che passano con lo champagne durante le feste a cosa mai possono servire? Quindi saluta, leggermente seccata come sempre quando qualcuno le porta via qualcosa, fosse pure soltanto del tempo.
– Mamma, questa è la signora Adele Brandi. Ha bisogno di parlarti di una questione personale. Preferisci che io resti o che vada?
– Vai pure, – dice Adele, che nel turbinio di sentimenti che la agitano ha però ben chiaro che non vuole rivelare a Cristiano la natura mignottesca di sua madre.
– Resta, per carità. Non posso proprio immaginare cosa possa desiderare da me signorina… signora…
Adele si irrita con quella famiglia di fighetti esausti, dopo tutto è la figlia di una maestra elementare e di un operaio, okay che per sette anni ha vissuto da signora, ma non è mica diventata come loro.
– Benissimo, allora resta pure, e peggio per te. Signora Castelli, la prego di restituirmi immediatamente il medaglione di Eva. Se no, sarò costretta a fare delle rivelazioni piuttosto pesanti sul suo conto.
Tra le tante reazioni che Adele poteva aspettarsi a questa ben ponderata minaccia, certo non era compreso lo strillo di entusiastico stupore che accoglie le sue parole.
– Il medaglione! Perché pensa che ce l'abbia io!?! Lei chi è? Dov'è il medaglione?
Cristiano e Adele ci restano di stucco, e si scambiano perfino una mezza occhiata in cui amichevolmente condividono la sorpresa.
– Suo figlio Tommaso ieri sera l'ha rubato a Eva.
Clotilde Castelli non è il tipo che si mette a saltellare per la stanza come una bambina, ormai l'abbiamo capito, ma in effetti le sue ginocchia e i suoi piedi, quasi per

volontà propria, accennano un inizio di saltello, mentre i pugnetti le si stringono, e per un brevissimo istante è possibile intravedere la ragazzina che un tempo, molto prima d'incontrare le poetesse serbe, anche lei dev'essere stata.

– L'ha rubato! L'ha rubato! Meno male! E perché non me l'ha ancora portato? Chiamalo subito!

Adele maledice la propria impazienza. Certo, figuriamoci, il perfido amore della sua vita starà ancora dormendo, e probabilmente pensava di consegnare il medaglione a mamma durante il pranzo, sbadigliando tra le tagliatelle e la spigola all'acqua pazza.

Mentre Cristiano va a chiamare Tommaso, Clotilde e Adele si guardano malissimo.

– Chi è lei? E quali sarebbero queste rivelazioni, ah ah, si figuri.

Ma Adele ormai ha capito che conviene essere reticenti.

– Lo saprà al momento opportuno –. Le sembra di ricordare che ogni tanto Sir Williams pronunciasse questa frase. Ma con Clotilde non funziona granché.

– Ma quale momento! Se ne vada! Lei chi è, si può sapere?

– Adele Brandi. Cameriera in casa Gambursier –. Lo dice con tono molto allusivo. Pesantemente allusivo. Adesso capirà, la maledetta mandante. Clotilde non solo non capisce, ma scrolla le spalle.

– Sai che roba. E mi dovrei preoccupare?

La risatina di scherno dura poco, perché Cristiano ritorna annunciando che Tommaso non ha dormito nel suo letto.

Caterina Chiarelli

Cosa ci fa, tre giorni dopo, Adele nella sala d'aspetto di una pediatra? Lei ed Eva sono sedute lí, con Jezz e Guercio in braccio, e Zarina accucciata sotto la sedia. A Jezz cola il naso e tossisce da far paura. Guercio è molto sporco, ma non sembra malato. Zarina dormicchia.

Quando Adele è tornata da Gassino spiegando che non aveva potuto ricattare Clotilde perché Clotilde non aveva il medaglione, e che Tommaso era scomparso, Eva non l'ha presa bene. Ha avuto una specie di crollo. Anche Adele ha avuto una specie di crollo, rendendosi conto che la previsione di Cristiano non era realistica, che Tommaso non sarebbe tornato da lei per convincerla di essere innocente, e che Eva aveva definitivamente perso il suo talismano.

Sono stati tre giorni pesanti, in via Varallo. L'unico momento di consolazione è stata una telefonata di zia Teresa. Quando Eva ha visto il nome sul display del suo cellulare (Nokia, ventiquattro euro, comprato a dieci da un marocchino) ha fatto la faccia da varicella, quella del bambino desolato chiuso in casa da quindici giorni.

– Che ti dicevo. Vedrai che ci butta fuori.

Invece no, perché zia Teresa annuncia che lei e un'altra oblata brigidina hanno deciso di lasciare il convento e partire per raggiungere a piedi il Santuario di Nuestra Señora de la Soledad a Lima.

– Non potete andare a piedi in Perú, zia.

– Il signore ha camminato sulle acque. Tu, piuttosto, puoi occuparti ancora della casa, diciamo per un annetto?

– Un annetto va benissimo. Fate buon viaggio.

Adele l'aspetta al varco, per dimostrarle che nonostante la perdita del medaglione le cose si mettono benissimo. Un annetto! Che c'è di meglio che avere ancora la casa per un annetto?

– E poi, chissà, potrebbero decidere di restare in Perú per sempre. Trovare marito lí, non so, entrare in una comunità di Inca. O risultare disperse durante il viaggio, dài, Eva, va tutto bene!

– Non va tutto bene. Sono gli ultimi effetti del medaglione, si ritirano a poco a poco, come la marea. Poi cominciano le mazzate.

– Smettila di dire stupidaggini. Non esiste nessun effetto del medaglione. Tu sei sempre tu, te stessa da capo a piedi. Sei tu, tu, a farti il tuo destino.

– Non è vero. C'è un casino di roba in giro che fa il nostro destino. Le stelle, la fortuna, gli alberi dell'oroscopo celtico, i Ching... noi non siamo niente, in confronto a tutte queste forze superiori. Il medaglione era una forza piú forte delle altre, e senza di lui sono fregata.

Non esiste logica di fronte alla superstizione, e Adele non ci prova piú. Vede Eva spaventarsi di ogni possibilità, e non riesce a farle coraggio perché nemmeno lei è in gran forma. Tommaso non risponde al cellulare, e una breve ricerca condotta in un Internet café le ha permesso di accertare che non esiste in rete, né su Facebook né su Twitter né in nessun altro posto, anzi, non esiste come Tommaso Castelli, mentre come Manuel De Sisti esiste nel sito dell'agenzia «Anima!» che fornisce animatori e artisti ai villaggi turistici. Ma esiste sotto forma di uno scarno insieme di dati fasulli.

– Voleva soltanto rubare il medaglione a te. Di me non gli importa nulla. E io invece sembro uno dei film in bianco e nero delle tue videocassette.

– E cioè?

– Beh, se tornasse adesso prima gli darei una botta in testa per farlo svenire e riprendergli il medaglione, e poi lo curerei con passione, piangendo calde lacrime sulla sua fronte sudata.

Eva non capisce questo sentimento, e non capisce questa disperazione. Adele ha soltanto se stessa a cui provvedere, una condizione esistenziale talmente semplice e favorevole che non può generare ansia.

Adele non capisce questo esagerato senso guerrigliero delle proprie responsabilità.

– Ma dài, Eva! Dài. Se proprio tu e Jezz foste senza risorse, non mi dire che coso, tuo fratello, non vi ospiterebbe!

– E tu non mi dire che tra un mese non ti sarai dimenticata quel fottuto che se lo prendo gli cavo quegli stupidi occhi... verdastri.

– Turchesi!

Eppure, ciascuna delle due cerca di consolare l'altra di un dolore che non comprende. Cosí, quando stamattina Jezz si è svegliata con la febbre, rossa come un piccolo pomodoro (Cristiano saprebbe esattamente quale piccolo pomodoro) ed Eva ha reagito dicendo che finché aveva il medaglione Jezz non si era ammalata mai, e rannicchiandosi su una poltrona con l'aria di una che aveva tutte le intenzioni di lasciarsi abbattere dalla malasorte, Adele, invece di scuoterla a sberloni, si è offerta di accompagnarle dalla sua vecchia amica Marina, pediatra nella città di Torino, quartiere Vanchiglia, vicino al loro, che invece si denomina Vanchiglietta.

La pediatra Marina diagnostica a Jezebel una semplice influenza, da curare tenendola al caldo e dandole la tachipirina se ha piú di trentotto di febbre.

– Stasera non posso portarla al ristorante, – si dispera Eva mentre prepara il passato di verdura. – E se non vado mi lasciano a casa.

– Vacci. A casa ci sto io stasera. Oggi però devo andare a stirare.

– A che ora torni?

– Alle sette.

– Io devo uscire alle sei.

– Allora torno alle sei. Telefono a Ernesta se posso andare un'ora prima.

Adele però non è completamente piegata a questo spirito collaborazionista. Solo per questa volta, pensa. Molto presto eliminerò definitivamente cani, bambine e bambole dalle mie giornate.

– Però, – dice a Eva, seguendo il pensiero che le si dipana dentro, – però non credo di poter tornare indietro. Manuel ha scardinato tutto come un terremoto, e adesso ci sono soltanto macerie.

Eva punge le patate con la forchetta. Dure.

– Macerie di cosa?

– Delle mie convinzioni. Non posso piú sposare un uomo che non amo.

– Meglio per te.

– Un accidente. Se non posso piú sposare un uomo che non amo, dovrò mantenermi da sola. E quindi lavorare. Per sempre.

– Potresti innamorarti di uno ricco. Ci hai mai pensato?

– No, guarda, al momento penso solo a Manuel. Mi si scioglie lo stomaco e tutte le giunture, quando penso a lui. Darei qualsiasi cosa per vederlo arrivare adesso, e fermarsi davanti al cancello.

– Anch'io, – dice Eva, sollevando il forchettone con cui pungeva le patate.

Entrambe, suggestionate, guardano fuori. Ma Tommaso non compare.

Né compare a casa di Cristiano, la bella villa liberty che per lui non è piú un'amabile casa in cui riposare nei pochi momenti che le attività agricole gli consentono. Un luogo di pace in cui studiare la composizione dei prossimi Prendi e Taci ascoltando Rachmaninov suonato da Aškenazi. Chissà perché, ma Rachmaninov è molto stimolante quando si tratta di scegliere ortaggi e altri prodotti della natura. Adesso la casa è un involucro infestato dalla presenza di sua madre, minacciato dal ritorno a tempo indeterminato di suo fratello, e funestato dalla tristezza derivante dal fatto che Adele è innamorata di Tommaso. E non solo è innamorata di Tommaso, ma ha intenzione di ricattare sua madre. A questo proposito, Cristiano prova a interrogare Clotilde, che è seduta in giardino e sta lavorando a un articolo su poesia ed energia sponsorizzato dall'Enel.

– Mamma, cosa sa di te Adele Brandi?

– Chi?

– Adele. La signora che è venuta qui l'altro giorno e vuole ricattarti.

– Ricattarmi? Ah ah ah! Ma figurati! Ma cosa vuoi che mi ricatti quella! E per che cosa poi? Da bravo, Cristiano, non farmi perdere tempo, che devo ancora trovare un modo elegante di passare da Alda Merini al materiale elettrico. Piuttosto, ci sono notizie di tuo fratello?

– Nessuna.

– Non riesco a capire. Lo fa apposta, per farmi sfrigolare, quel cretino. Cercalo! Lo hai cercato?

– Non risponde al cellulare. Si farà vivo, vedrai.

– Tu prega solo il tuo Dio, qualunque sia se c'è, che non abbia perso il medaglione, perché altrimenti vi ammazzerò come Medea ha ammazzato quei bambini, ma con migliori ragioni.

– Ammazza lui. Io non ho fatto niente.

– Appunto.

– Tra l'altro, mamma, forse sarebbe piú pratico se tornassi a casa tua. Voglio dire, magari Tommy verrà a cercarti lí, e poi andare e venire per i tuoi impegni è scomodo.

– Non è scomodo. Mi faccio portare da quel ragazzo che taglia i fagiolini.

– Marco? Ma lui deve lavorare nell'orto, non è un autista.

– Storie. Guida benissimo. E in ogni modo preferisco stare qui. Quando quel demente di tuo fratello mi porterà la catenina, voglio essere qui.

– Perché?

Clotilde non risponde, e segue con un dito sonnambulo le parole della poetessa:

– Ecco! Ci siamo! Senti qua: «La bellezza non è che il disvelamento di una tenebra cadente e della luce che ne è venuta fuori».

Quando Eva vede Tommaso davanti al cancelletto di casa, sono le quattro di pomeriggio, e ha appena finito di dare a Jezebel un biberon di camomilla. Per la prima volta da tanto tempo pensa ai padri di sua figlia. Si chiede se non andarli a cercare, e proporre loro di contribuire al mantenimento di quella bambina che basta un'occhiata per identificare come appartenente al loro sangue, dell'uno o dell'altro. «Oltre tutto, – ragiona, – costa poco, e se se lo dividono per tre, non se ne accorgeranno neanche». Un po' le scoccia. Questa babaccia gommosa che adesso già dorme, ancora lievemente febbricitante ma molto piú tranquilla, è sempre stata cosí totalmente sua che non le piace l'idea di doverla dividere con gente che sta in Finlandia. Se i padri fossero stati, ad esempio, di Aosta, avrebbe affrontato piú serenamente la prospettiva di portarla ogni tanto in visita. Se fossero stati tre croupier al Casino di Saint-Vincent, perché no? Avrebbe potuto andare su con Jezebel ogni quindici giorni, e prendere una stanza all'Hotel Biancaneve, dove era stata una volta da bambina con i suoi genitori e Giona, prima che la famiglia esplodesse. Ma in Finlandia? Come si fa a mandare una bambina tanto piccola in Finlandia?

È arrivata a questo punto del suo preoccupato ragionamento quando si accorge di Tommaso, gli va ad aprire, e prima ancora di chiedersi come affrontarlo gli vede dondolare in mano la catenina.

Senza neanche salutarlo, l'afferra e la stringe nel pugno tanto da incastonarsela nel palmo della mano.

– Almeno potresti salutarmi e dirmi grazie.

– Non me l'hai rubata.

– Ma no. Avevo dimenticato di averla in tasca. L'ho trovata stamattina, scusa.

Eva lo guarda con sospetto, ma lo fa entrare, perché Jezebel dorme sul divano e non vuole starle lontana.

– Non ci credo. Io so chi sei.

– Ah sí? Saresti l'unica. Chi sono?

– Sei Tommaso Castelli, sei il figlio di quella tipa che vuole fregarmi il medaglione, e noi credevamo che tu lo avessi preso per ridarlo a lei. Adele voleva ricattarla.

– Ma dài! E per che cosa?

– Non lo so, non me l'ha detto.

– Comunque, come vedi non era vero. Te l'ho riportato.

– Ma... perché? Sei venuto da noi con un nome falso per rubarlo, vero?

– Esatto. Sono venuto da voi con un nome falso per rubarlo.

– E Adele? Sei uscito con lei solo per quello?

– In effetti.

Eva, adesso che ha di nuovo il suo portafortuna al collo, si sente molto triste per Adele.

– Allora perché me l'hai riportato?

Tommaso non risponde subito, prima va vicino a Jezz che dorme e le sfiora la fronte con due dita.

– Trentasette e otto, – dice.

– Sí. Adesso va meglio. Ma se non tornava il medaglione...

– Non va bene questa cosa del medaglione, Eva. È come credere in Dio.

Eva non si sente d'intavolare una discussione teologica, adesso. Ripete la domanda:

– Perché me l'hai riportato?

– Questa – dice Tommaso sedendosi al tavolo di fronte a lei – è una storia davvero strana. La prima sera che sono venuto qui con Adele sono entrato in camera tua con una bottiglietta di cloroformio. Volevo dartene pochissimo, solo perché tu non ti svegliassi mentre ti toglievo la catenina dal collo. Tu stavi ben chiusa nella trapunta, e mandavi un leggero profumo di latte e zucchero. Mi sono fermato a guardarti, e in quel preciso momento mi ha punto l'ape.

Tommaso si aspetta la domanda: Che non viene. Perché Eva lo fissa con gli occhi sbarrati.

– L'ape dell'amore?

– Esatto. La conosci?

– Sí, me l'ha detto una ragazza con cui ho lavorato anni fa. Caterina Chiarelli. Abbiamo trasportato insieme dei pastori del presepe da Napoli a Bergamo. Con un Tir.

– E infatti. Anche a me ne ha parlato Caterina. L'anno scorso ho comprato da lei cento metri di stringhe di liquirizia.

Caterina Chiarelli è colei che rivela, ad amici e conoscenti, l'esistenza dell'ape dell'amore, questo sfortunato insetto che vive chiuso e addormentato nel nostro cuore, e che una sola volta si sveglia e ci punge, per poi andarsene chissà dove. Non tutti credono nell'ape dell'amore, ma quelli a cui succede non possono piú dubitarne.

Eva sta zitta, e Tommaso dopo un po' riprende:

– E cosí mi ha punto. Perciò non ti ho dato il cloroformio.

Pausa. Si guardano. Tommaso decide di essere onesto fino in fondo.

– Non solo per quello. Anche perché tua figlia era sveglia, stava in piedi appesa alle sbarre del lettino e mi guardava tutta sorridente. Non puoi dare cloroformio a una sotto gli occhi di sua figlia.

– Infatti.

Eva piú o meno capisce, fin qui, il percorso di Tommaso. Ma da qui in poi, le sembra meno coerente.

– E perché l'altra sera me l'hai preso?

– Questo non te lo posso dire. Almeno, non subito. Forse te lo dirò fra tre o quattro anni, una sera d'estate, prima o dopo aver fatto l'amore in spiaggia, sul bagnasciuga, in una notte senza luna ma con molte stelle.

– Perché pensi che questo succederà? Ti ho forse detto che si è svegliata anche la mia ape?

Tommaso non dice niente per un paio di secondi, poi le sorride appena, piú o meno come deve aver sorriso Lucifero a Dio prima che costui restasse insensibile e lo scagliasse comunque in fondo all'Inferno.

– Va bene. Allora te lo chiedo. Eva, vuoi essere tu l'unica per me? Vuoi stare con me un giorno dopo l'altro ovunque saremo, e dividere con me quello che verrà? Accetti di aver abbattuto il mio stile di vita e d'iniziarne uno nuovo insieme? Acconsenti a ricevere il mio totale, per quanto alle prime armi, e incapace di esprimere se stesso, amore? Sei disposta a rischiare che questo amore si riveli inadeguato, che non sia infinito, che non duri per sempre, che presenti lacune e difetti, visto che io ti assicuro che si tratta comunque di tutto quello che ho e avrò mai a disposizione?

Eva fa un grande respiro, e mette la mano in testa a Jezebel che dorme, notando en passant che è un poco piú fresca. Poi risponde:

– Mi piacerebbe tanto. Ma purtroppo non posso. E adesso ti spiego perché.

Quando Adele arriva a casa quella sera alle sei, Eva la aspetta sul cancello, con Zarina al guinzaglio.

– La porto a fare una corsa prima di andare al lavoro.

– Come sta Jezebel?

– Meglio. Ah, a proposito, credo che piú tardi ti chiamerà Tommaso.

Lo dice di corsa, già mezza fuori, invano inseguita dalle domande di Adele.

– Tommaso? È stato qui? Cosa ha detto? Dov'è?

– Niente, ti chiamerà stasera. Forse domani. Ciao ciao!

– Ma il medaglione?

– Tutto ok, poi ti spiego!

Adele entra in casa stordita, e con la netta sensazione che ci sia qualcosa di strano. Perché Tommaso la chiamerà forse domani? E cosa vuol dire «Tutto ok»?

Mi riprometto di chiedere spiegazioni a Eva quando passerà a riportare a casa Zarina, ma come tante cose che noi umani ci ripromettiamo, neanche questa va a buon fine, perché Eva riporta a casa Zarina in un modo che si può definire soltanto FURTIVO. Mentre sono impegnata a rifilare a Jezz quello che ho trovato in un pentolino sul fornello, sento un allegro trapestio in giardino, e quando mi affaccio vedo Zarina che scava sotto il pitosforo. Mi congratulo con lei, il pitosforo non c'entra niente con Borgo Vanchiglietta, esso sta bene sulle terrazze di Portofino, qui da noi largo alle ortensie, ma mentre mi compiaccio delle mie meschine competenze botaniche mi rendo conto che Eva se n'è andata e non potrò piú chiederle spiegazioni fino a quando non tornerà chissà a che ora.

– Fame, – dice Jezz. Caspita, un'intera parola comprensibile.

– Ehi. Tocca aprire una bottiglia di Krugg. Com'è che parli?

– Fame, – ripete lei.

– Non saprei cos'altro darti. Ti sei appena ingozzata mezzo chilo di semolino. Dovresti essere piena come un otre.

Poi vedo una scatola di formaggini sul tavolo, ed esulto. I formaggini sono buon cibo per bambine piccole. I formaggini... l'altra me, quella della precedente vita, provava sempre un leggero batticuore alla vista di un formaggino, perché quel triangolo spessotto avvolto nella carta argentata o dorata è un oggetto davvero grazioso. I formaggini sono per me un cibo gioiello, mi piace vederne tanti che scintillano alla luce raccolta della cucina, ma adesso lo sbuccio senza tante storie e lo porgo a Jezz, che però fa no no no.

– Fame, – ripete, e questa volta, rendendosi evidentemente conto di avere a che fare con un'adulta di scarsa intelligenza, aggiunge un gesto esplicativo, e strattona Guercio per un braccio.

– Lui? Lui ha fame?

Jezebel annuisce, e sorride. – Ui!

– Senti cocca, tu te lo scordi che io mi metta a imboccare un bambolotto. Non sono mica Nonna Papera.

Lei mi prende di mano il formaggino senza insistere, e lo spiaccica sulla faccia di Guercio.

– Aspetta! Cosí lo sporchi e basta.

Ed è mentre pulisco Guercio, e faccio vedere a Jezz come s'imbocca un bambolotto: – Cosí, ecco, un pezzetto piccolissimo di formaggio... aaaaahhmm... e dopo lo mangi tu se no non arriviamo da nessuna parte... ecco fatto... adesso gliene dai un altro... – che sento bussare sui vetri, e quando alzo gli occhi e vedo Cristiano fermo al quasi buio provo un sentimento affine a quello di Macbeth alla vista di Banquo, o di altri alla vista di altri spettri.

– AAAHHHH!

Vado ad aprire la porta.

– Cosa vuoi! Come sei entrato!

– Il cancelletto era aperto.

Il cancelletto era aperto? Mi prende un colpo: e Zarina? E se è uscita? Se è uscita, è arrivata fino in corso Belgio e l'ha stirata il 68? O ci è salita sopra? Perché una volta il cane di una mia amica è scappato e ha preso il tram e l'hanno poi ritrovato al capolinea.

– Zarina! Vieni fuori!

Il nostro cortile è cosí piccolo che chiamarla è veramente inutile. Non c'è. Aiuto!

– Il cane! È uscito!

– Bene. Ecco che te ne sei finalmente liberata.

– Sta' zitto, idiota! Vai dentro, stai con Jezz, io vado a cercarla!

Mentre corro lungo il fiume urlando Zarina, faccio una serie di voti alla Madonna, sempre piú impegnativi man mano che non la trovo: non mangio cioccolata per un mese, non prendo piú di due caffè al giorno per tre mesi, vado a piedi fino a Oropa, vado a piedi fino a Compostela, non mangio cioccolata per tre anni e vado a piedi a Compostela, non mangio cioccolata, vado a piedi e comincio a bere e fumare... Quando non funziona neanche il voto di diventare oblata brigidina come la zia Teresa, mi arrendo: ormai è un'ora buona che giro urlando per il quartiere. Zarina è scomparsa. Piangendo a piú non posso, mi chiedo se quella deficiente che si accompagna a mio marito le abbia mai fatto un tatuaggio, ma anche se l'ha fatto, a che serve, non risaliranno mai a me, la spedirebbero a Minsk o Dio sa dove...

Piango, piango come una capra, senza chiedermi che senso ha piangere per un cane che non voglio, e che appena possibile porterò al canile di Rho. Ho smesso di cercare di governare la mia vita con la logica, è evidente che per il momento devo fare affidamento su qualcos'altro. E cosí quando arrivo singhiozzando e vedo Cristiano, Jezebel e Zarina che mi aspettano davanti a casa, prima mi precipito ad abbracciare Zarina, poi la sgrido, e per finire mi avvento contro Cristiano insultandolo perché non mi ha avvertita che era tornata.

– L'avrei fatto, se tu avessi avuto con te il telefono. Invece l'hai lasciato sul tavolo.

Quando siamo tutti dentro al sicuro, mi asciugo il naso e gli occhi con uno Scottex, e torno me stessa. Non degno neanche di uno sguardo quello stupido cane disteso davanti alla stufa, sbuccio una mela per Jezz, e chiedo a Cristiano se vuole finalmente decidersi a dirmi cosa è venuto a fare.

– Sono venuto a prenderti. Tommaso ha riportato il medaglione a mia madre. Cosí adesso se vuoi puoi ricattarla. Mettiti una maglia che fa freddo.

Tommaso! È a casa di Cristiano. Questa mi sembra la pietra angolare del suo discorso. Ma. Non posso andare.

– Non posso venire. Eva è al lavoro, devo stare con Jezz.

– Portiamola con noi.

Jezebel ha già gli occhi a mezz'asta, si è sdraiata sul tappeto vicino a Zarina e Guercio, e sembra pronta a schiantarsi di sonno. Povera piccoletta, trascinarla fuori a quest'ora. Beh, mi spiace, ma tocca farlo.

Avrei potuto fare a meno di dispiacermi perché, bene avvolta in un plaid (patchwork), Jezz si addormenta nel momento stesso in cui la macchina si mette in moto. Sto dietro con lei dato che questa macchina non ha seggiolini, e vedo la nuca di Cristiano che guida. Nessuno dei due parla molto. Provo a mettere insieme le evasive notizie che mi ha dato Eva e le incomplete informazioni che mi ha dato Cristiano. Tommaso nel pomeriggio si è presentato a casa nostra, non si sa a fare cosa, ma tranquillizzando Eva sul conto del medaglione, e in seguito a questa visita Eva è certa che voglia vedermi. Poco dopo Tommaso ha portato il medaglione a sua madre. E cioè?

Quando arriviamo a casa Castelli, noto subito nel parco la Renault bruttissima di Tommaso, e ho un piccolo colpo al cuore: sono una donna materiale, e quindi è della materia che mi fido, e soltanto adesso mi convinco fino in fondo che Manuel De Sisti non esiste, e che l'amore della mia vita è davvero Tommaso Castelli.

Ed eccolo, l'amore della mia vita, lo vedo attraverso una porta finestra che dà sul terrazzo, sdraiato su un divano con le cuffie in testa. Lui non vede me, invece, perché ha gli occhi chiusi. Passando davanti alla porta finestra, Cristiano, che ha Jezz in braccio, si ferma.

– Prima lui o la mamma?

– Prima la mamma.

Proseguiamo, entriamo, e filiamo dritti in una stanza che mi sembra risponda perfettamente alla definizione di «boudoir». Non avevo mai visto un boudoir in carne e ossa, cioè, voglio dire vivo, un boudoir vivo in una casa dove qualcuno lo usasse. Li ho sempre e solo visti nei Palazzi che si visitano, tipo Palazzo Madama. E invece eccolo qua, il boudoir vivente, in cui Clotilde Castelli sta guardando qualcosa sul computer. Cristiano bussa pro forma sulla porta aperta, e lei solleva lo sguardo. Noto subito che ha il medaglione di Eva al collo.

– Buona sera, – le dico. – Scusi l'ora, ma sono venuta a portare a termine la nostra trattativa.

– Ancora lei? Cristiano, perché l'hai fatta entrare?

– Non l'ho fatta entrare. Sono andato a prenderla e l'ho portata qui.

– Allora sei davvero un deficiente.

– Non strilli che sveglia la bambina.

Jezz dorme in braccio a Cristiano, che la posa piano su un divano. Clotilde non è d'accordo.

– Sei pazzo? Cos'è quel bambino? Levalo subito di lí.

– Guardi, signora, ci mettiamo un minuto. Suo figlio? Questa volta lo facciamo restare o ci parliamo in privato?

Clotilde Castelli, devo ammetterlo, è fantastica. Non mi dà retta per niente. Continua a smanettare sul computer e mi risponde con sufficienza:

– Ma cosa vuole che me ne importi. Questa storia è assurda, io non so chi sia lei, e non capisco perché si accompagni con Cristiano. Forza, su, mi faccia 'sto ricatto e si tolga dai piedi.

Cristiano non accenna a muoversi, e io non vedo l'ora di sbrigare questa faccenda e correre da Tommaso.

– Okay. Allora. Io lavoro in casa dell'avvocato Biancone e la sera della festa sono andata alla stireria perché dovevo prendere una cosa. Arrivando ho sentito dei bisbigli e mi sono fermata. I bisbigli appartenevano a lei, signora Castelli, e al conte Umberto Gambursier, e da questi bisbigli si evince che avete una relazione. Se non mi ridà il medaglione di Eva, i bisbigli in questione saranno riportati all'avvocato Biancone.

Clotilde Castelli continua a picchiettare sul computer che, noto con disprezzo, non è un Mac. Vorrei capire cosa detiene con tanta fermezza la sua attenzione anche mentre cerco di ricattarla, e mi avvicino. Sta compulsivamente sfogliando un catalogo online nel sito «Luxury and Extreme Wealth». Al momento, è fissa su una brutta borsa che costa dodicimila dollari. Ma alla fine alza lo sguardo con aria vagamente distratta.

– Stupidaggini. Tutto inventato.

– Ho registrato col cellulare –. Figuriamoci se è vero. Ma nei film i bluff funzionano.

– Ah sí? Sentiamo.

– Se lo scorda. Cosí suo figlio mi salta addosso e mi strappa il cellulare. Si fidi. Ho registrato.

– Guarda, Adele, io non ti salto addosso e non ti strappo niente, almeno per il momento, ma se potessi evitare di sentire mia madre che tresca con il marito di Marta, preferirei.

– Allora? Mi dà il medaglione?

Clotilde alza gli occhi, con espressione stupita. – Eh? Il medaglione? Ma figurati se te lo do. Di' quello che vuoi a Marta, falle sentire quello che ti pare, non me ne importa proprio niente, tra l'altro ero già anche abbastanza stufa di Umberto.

Sono veramente confusa. Cioè, va bene essere callose, ma mandare all'aria un'antica amicizia per una collanina, mi sembra veramente esagerato. Anche a Cristiano sembra esagerato.

– Mamma, scusa, ma Marta ci resterà veramente malissimo. Siete amiche da trent'anni. Sei sicura che ne valga la pena?

– Vale, vale eccome. Marta avrebbe dovuto capirlo da sola già da tempo, ma è troppo infatuata di quel babbeo.

– Sa cosa, signora Castelli? Lei andrebbe d'accordissimo con mio cognato e sua moglie. Ruggero e Guenda Molteni. Li conosce?

– Ah, ma certo! I biellesi. Li ho conosciuti alla festa di Marta. Simpaticissimi. Sono suoi cognati? Com'è possibile?

– Glielo racconto un'altra volta.

– Non credo che avremo occasione di rivederci.

– Beh, si sbaglia.

Esco dal boudoir, sempre seguita da Cristiano con Jezebel in braccio, che nel frattempo si è svegliata e piagnucola.

– E adesso che farai? Racconterai tutto a Marta?

– Certo! – sbraito. – Ma non subito. Prima devo parlare con tuo fratello.

E qui le nostre strade si dividono. Lui va in cucina a vedere se la signora Maria può confortare Jezz.

È ancora sul divano ma ha gli occhi aperti. Sembra molto assorto. Quando mi vede, si toglie le cuffie e me le mette, senza dire una parola. Sento una canzone cantata da lui, credo, con un coro di bambini. Dice qualcosa a proposito di un cocomero.

Me le tolgo.

– Bello. Cos'è?

– La compilation che facciamo al villaggio per venderla agli ospiti. Quindici euro. Ci sono tutte le canzoni della baby dance, e anche quelle degli adulti. *Un cocomero tondo tondo* è la mia preferita. Perché è illogica.

Si siede comodo, e mi fa segno di sistemarmi sulla poltrona di fronte al divano.

– Fai caso al testo –. Tommaso si mette a cantare piano, con struggente sensualità. – Un cocomero tondo tondo che voleva essere il piú forte del mondo, e voleva tutti gli altri superare, un bel giorno si mise a... tu a questo punto cosa diresti?

Decido di assecondarlo per un attimo, e poi portarlo piano piano sul discorso: anche se sei un ladro e un imbroglione, sono pazza di te.

– Sparare?

– Esatto. E invece senti come fa la canzone: un bel giorno si mise a... cantare. Vabbè, prendiamola per buona. Diciamo che cantando può avere molto successo, e lasciarsi gli altri cocomeri alle spalle. Ma dopo? Senti dopo.

E mi canta ancora del cocomero, che per essere il piú forte e gli altri superare, si mette successivamente a mangiare, a nuotare, a sciare. Arrivati a «un bel giorno si mise a bere» lo interrompo. – Ne ho abbastanza: dal momento in cui si dà all'alcool, le sue chance di diventare il piú forte del mondo si assottigliano parecchio. Lasciamo perdere questo cocomero e parliamo di noi. Perché ci hai ingannate? E hai rubato il medaglione di Eva per darlo a tua madre?

Tommaso fa un gesto con la mano, e si alza. – A che serve rivangare? Avevo i miei motivi. Non pensiamoci piú. Vieni qui che ti bacio.

Vado lí, e mi bacia, poi mi chiede:

– Eva mi ha detto che mi ami. È vero?

– Beh. Sí. E perché te l'ha detto?

– Perché le sembrava la cosa giusta. Non sono sicuro che avesse ragione, ma ormai è fatta.

Mi bacia ancora. Io sono, non so perché, perplessa.

– Tommaso? Perché vuoi sapere se ti amo?

– Perché se me lo confermi, ti chiedo di venire con me a Follonica. Non so che ne sarà di noi, ma voglio provarci.

– Perché?

E qui mi aspetto che getti le carte in tavola, ovvero che mi dica una cosa sul genere di: «Perché sono pazzamente innamorato di te, stupidina, non l'hai ancora capito?» Tommaso invece alza le spalle.

– Per il momento, preferirei non rilasciare dichiarazioni.

Okay, è un uomo non convenzionale, penso, sono la prima donna che ama in vita sua, è confuso, spaventato, sa che mi vuole ma non sa perché mi vuole, per adesso può bastare.

– Va bene, – gli dico, – proviamo e vediamo che succede.

Ci baciamo un altro po', poi io sobbalzo.

– Devo andare, Tommaso. Tra poco Eva sarà a casa, e devo riportare Jezz. Ci accompagni tu? Puoi fermarti.

– A proposito, come mai sei qui?

– È una storia lunga. C'entra col medaglione, poi ti spiego. Tu non potevi saperlo, ma Eva...

Lui m'interrompe, un pochino bruscamente:

– Non preoccuparti per Eva. È tutto a posto. Ti accompagno volentieri, ma non mi fermo. A casa vostra non mi va. Sai, bambina... cani.

– Ma... pensavo che stasera... cioè, mi hai appena chiesto di vivere con te e adesso mi lasci andare via?

– E certo. Sarebbe banale: ti chiedo di vivere con me... facciamo l'amore... Giochiamocela un po' meno prevedibile, eh?

Per un attimo, ma è proprio solo un attimo che dire fuggente è allungarlo, mi chiedo cosa ci sto a fare qui con quest'idiota, poi mi passa subito.

– Le porto giú io.

Cristiano è comparso sulla soglia. Quando vede Tommaso, Jezebel allunga le braccia, facendo cadere Guercio.

– Ahhahh! – dice.

Tommaso va da lei, la prende, la abbraccia forte, recupera Guercio, glielo mette in mano e me li porge tutti e due.

– Grazie Cris. Sono stanchissimo, stasera. Ciao Adele, ti chiamo domani, cosí decidiamo quando partire. Ciao, dolcezza, mio tesoro, ciao piccola, tanti baci.

Quest'ultima parte della frase è rivolta a Jezebel. C'è qualcosa che mi sfugge.

Non posso dire di essere soddisfatta della mia serata, e Cristiano mi capisce.

– È andata maluccio, eh? Non hai recuperato il medaglione, e ora ti tocca partire per Follonica con mio fratello.

– Non so. Tommaso è strano.

– Ma va? Sai quanto hanno speso i miei in psicologi quando era un giovane criminale?

– Non per quello. Vuole che vada a vivere con lui ma non mi ha detto che mi ama o cose del genere.

– Che t'importa? Lo amerai tu per tutti e due.

Lo guardo di striscio.

– Sei un uomo sgradevole.

– E tu una donna stupida.

Dopo di che, abbiamo poco da aggiungere. Mi lascia davanti a casa, senza neppure prendersi la briga di accompagnarci dentro. Ho appena finito di mettere a letto Jezz che sento la porta aprirsi e corro giú per raccontare a Eva le novità. Ma resto muta come un pesce muto quando si toglie la felpa e le vedo al collo la catenina col medaglione.

Charles Boyer

Affacciata a una finestra inutilmente panoramica della casa di suo figlio, Clotilde non vede le dolci colline illuminate dalla luna, né le brevi nuvole che punteggiano il cielo, non si accorge di quelle minime ma insistenti attività che la natura persegue al buio, né tantomeno sente il profumo intenso del glicine sotto la sua finestra. La sua mente è concentrata sull'attesa. Attesa che tutto si quieti, in quella casa. Nessun movimento. Niente gente che va, e tantomeno gente che viene. Aspetta che i figli siano chiusi nelle loro camere e possibilmente addormentati, quel sonno Rem o come si chiama, quello profondo, che non s'interrompe certo per qualche gradino che scricchiola. Aspetta di essere l'unica persona sveglia nella casa, aspetta come aspettava Charles Boyer nel film *Angoscia*: come lui, Clotilde aspetta di poter andare finalmente in soffitta, dove stanotte troverà qualcosa di bellissimo, che temeva non avrebbe rivisto mai piú. E poi, la mattina dopo, molto presto, via da quella insopportabile casa cadente, con le persiane di legno che per chiuderle ci vogliono le braccia, non basta un dito a schiacciare un pulsante. Via da tutta quell'erba, quegli insetti, quel silenzio notturno. A Clotilde piace, nelle sere d'estate, tenere la finestra della camera da letto aperta, e sentire ogni tanto passare auto, motorini e tacchi sull'acciottolato di piazza Maria Teresa. Vedere il riflesso di un faro. Sentire l'eco dei bicchieri che tintinnano al Maison, il locale di fronte a casa sua. Qui, di notte, rane e grilli. Prima se ne va, meglio è. Anzi, magari se ne va per un mesetto a Roma, a fare qualcosa in Rai. Deve parlare con il direttore. Forse le lasceranno finalmente realizzare «Versi a Colazione», la sua proposta per un programma di poesia alle sette del mattino, su Rai Tre. Sí sí sí.

Ma neanche i pensieri sulla Rai riescono a distrarre Clotilde, sempre piú impaziente. Allora decide di chiamare Umberto. È un po' che ha in mente di farlo. Vuole raccomandargli di licenziare quella stiratrice che hanno e, in caso Marta dovesse interrogarlo su una presunta storia fra lui, Umberto, e lei, Clotilde, di negare, negare fortissimamente e sempre. E, tra l'altro, vuole comunicargli anche che la suddetta storia è finita, morta, sepolta e imbalsamata come la salma di Lenin nella Piazza Rossa.

Umberto sembra abbastanza ricettivo, e promette di negare. Accetta senza obiezioni l'imbalsamazione di quella relazione ventennale, e però non sembra in grado di licenziare la stiratrice.

– Ehhhh... Clotilde... come faccio... se ne occupa Ernesta, di queste cose.

– Perfetto, di' a Ernesta di licenziarla.

– Ma... non so... con quale scusa? Stira bene.

– Aaah, Umberto, che nervi! Di' che ruba, no? Che ti ha sfilato cento euro dal portafoglio.

– No, meglio di no, mi hanno già preso tutti i soldi al Montezuma e...

Clotilde non vuole saperne niente del Montezuma. Se c'è qualcosa che proprio non le interessa, né le è mai interessato, è la vita degli uomini con cui ha delle storie.

– Insomma, inventati qualcosa. Di' che ha cercato di sedurti, che l'hai vista mentre molestava uno scoiattolo, fai cosa ti pare ma tienila alla larga da Marta se no sono guai, hai capito, guai grossi, perché se quella spiffera Marta ti pianta senza uno e senza due!

Clotilde riattacca soddisfatta, e tende l'orecchio. Ecco, forse i due cretini sono andati a dormire. E se anche sono svegli, sono giú, e non mi sentiranno. Basta fare piano.

E facendo piano, Clotilde lascia la finestra, esce dalla stanza e si avvia lungo il corridoio.

I due cretini in questo momento sono seduti uno di fronte all'altro, e si guardano. Cristiano è tornato dopo aver accompagnato a casa Adele, Tommaso è sempre lí, sempre con le cuffie in testa, e sta cercando di interessare suo fratello alla famosa hit da villaggio turistico *Stendi i panni*.

– È una canzone che sembra messa insieme con avanzi di altre. Non dal punto di vista musicale, dal punto di vista musicale è ineccepibile. Ma il testo... senti qua: stendi i panni stendi i panni va bene, il sole li asciuga ci sta a pennello, però poi si passa bruscamente a «chi la vuole la bella verdura». Ma quale verdura, perché, da dove arriva questa verdura?

– Piantala.

– Okay, va bene. Dobbiamo proprio, a ogni costo, parlare di Adele? E parliamone.

– Parliamone.

– Lo so, lo so, che due palle! Sei innamorato, innamoratissimo, e sei incazzato a manetta perché ancora una volta, come ai tempi di quella tipa di IV C, come diavolo si chiamava...

– Veronica.

– Veronica di IV C io ti frego la ragazza. Beh, non posso farci niente, Cris, perciò evitami una seduta psicanalitica e vattene a dormire, ok? Mi girano già abbastanza per conto mio.

– E allora non dire cazzate tipo che sono innamorato. Non faccio piú il liceo.

– Mi prendi per scemo? Cioè, io passo da sei anni le mie estati e i miei inverni in diverse tipologie di villaggio turistico dove la melma sciropposa dell'amore si allarga a macchia come la cosa del film *La cosa*, dove tutti si mettono insieme, e si lasciano, e si tradiscono, e languono, e languiscono, e un sacco di volte languono per me, e secondo te non dovrei capire quando uno è innamorato? Ma minchia, Cris! Certo che poi 'sto innamoramento passerà in due settimane, come tutti gli altri, ma per adesso sei sbattutissimo e mi odi, e invece non sai che io non mi sto divertendo, in questa storia. Per niente!

– Come mai? Di solito ti diverte sedurre le ragazze altrui.

– Di solito. Ma questa volta ne avrei fatto volentieri a meno. La tipa mi sta simpatica. È bellina, non mi dispiace ma... non mi fa scattare niente di speciale. E invece, porcaccia miseria, mi tocca prendermela in casa, e tirare avanti almeno sei mesi a farci l'amore e la colazione e magari pure la spesa il sabato, DIO CAMMELLO!

Cristiano sobbalza. Suo fratello è sempre riuscito a mantenere un linguaggio formalmente casto, e nonostante anni di vita in Toscana non l'ha mai sentito abbandonarsi alla bestemmia.

– Che succede, Tommy?

Tommy si accende una sigaretta trovata sul tavolino e la spegne subito perché non fuma. La fa a pezzetti, e poi si decide:

– Succede che ho trovato una che è lei.

– Peccato che non è Adele ma?

– L'altra. Eva.

– La quale Eva invece?

– Invece niente. Mi guarda con occhi che baciano. Ma vedi, è una ragazza per cui l'amore non viene al primo posto. Prima c'è la figlia, e poi c'è una specie d'idea astratta di giustizia che le fa mettere in fila le cose della vita in un ordine tutto sbagliato.

– Fammi capire. Eva sa che Adele è innamorata di te e...

– E siccome pare che io sia il primo di cui s'innamora, e che questo le cambierà la vita, perché fino ad adesso voleva solo sposare gente ricca e non gliene fregava niente di nessuno, e invece se sta con me capirà che la vita va vissuta senza calcoli, allora Eva mi ha detto di portarmela a Follonica e farle vivere questa storia e vedere che succede.

– Ah, ecco. E siccome te l'ha detto Eva, tu lo fai.

– Ci tiene molto. Ha detto che la vita segue strane strade, e magari un giorno ci ritroveremo.

Ed è a questo punto della conversazione che Cristiano e Tommaso Castelli vengono scossi da un ruggito belluino che si avvicina come un rotolo di rovi nel deserto della Bibbia, precedendo di poco la loro comune madre, che spalanca la porta della stanza e agitando nel pugno una catenella urla:

– Questo non è il mio medaglione!

E sono le ultime parole che dirà per qualche tempo, perché conseguentemente all'estrema furia che l'ha presa, alle sigarette che fuma ininterrottamente da anni, allo stato generale della sua pressione, al livello di zuccheri nel suo sangue e a tutta una serie di altre ragioni mediche troppo minuziose per entrarci adesso, Clotilde Castelli viene colpita da una leggera forma di coccolone.

Alice Bevilacqua

Il problema è che Alice Bevilacqua non può fare a meno di segnare in qualche modo le proprie opere. Questa ottima orefice prestata alla criminalità è capace di creare copie perfette di qualunque gioiello. Pur utilizzando sempre materiali nettamente inferiori per qualità e valore, costruisce piccole opere indistinguibili dagli originali, illusioni solidificate. Sí, perché normalmente l'illusione è liquida, o aeriforme, è il trucco del mago che svanisce nel momento stesso in cui viene fatto. Come le scene dei film disegnate al computer, gli uomini di Riccardo Cuor di Leone alle Crociate in una produzione a basso costo. Le illusioni che crea Alice B. invece sono oggetti con dimensioni, massa e peso. E lei ci tiene all'idea che, se dovesse incontrare una delle sue copie, poniamo, dieci anni dopo, saprà riconoscerla. Quindi altera sempre qualcosina. E nel caso del medaglione che le ha portato il suo vecchio amico Tommaso Castelli, ex compagno di scuola e di avventure varie, Alice ha alterato una breve serie di numeri impressa sul bordo del medaglione. Sono cifre minuscole, distinguibili solo con la lente d'ingrandimento, e ad Alice è sembrata una buona idea sostituire quelle presenti nell'originale, cinque numeri senza alcun significato, con la propria data di nascita. Purtroppo l'idea non era buona, perché ha indirettamente provocato il malore di Clotilde, che adesso è ricoverata al Gradenigo. Lo stesso ospedale dove avevano rammendato Umberto Gambursier, ma non è questione di destino, è che il Gradenigo è l'ospedale di riferimento per i torinesi che abitano lungo il Po.

Imbustata con vari tubi e mascherine, la signora Castelli sta comunque abbastanza bene, e i dottori contano di dimetterla nel giro di un paio di giorni. Una crisi nervosa, non un infarto, non un ictus. I figli possono stare tranquilli, spiega la gentile infermiera con cui conferiscono.

I figli sono tranquilli, anche perché uno di loro ha prontamente recuperato il famoso medaglione, e adesso ce l'ha in tasca.

Adele. Lidl

Eva non si è agitata per niente, quando le ho detto che anche Clotilde Castelli aveva al collo la stessa catenina con lo stesso medaglione. Siccome non siamo sceme, ci abbiamo messo poco a capire che la geniale soluzione escogitata da Tommaso per togliersi dai pasticci è stata quella di far fare una copia del ciondolo. Ma a chi ha dato quello giusto?

– A me, – Eva non ha dubbi. – Questo è l'originale. Annusa.

Eva apre il medaglione e me lo sbatte sotto il naso. Sento un vago profumo di mela.

– Mela, giusto? È il mio bagnoschiuma. Ne ho comprato una confezione gigante da Lidl un po' di tempo fa e sono mesi che mi lavo con quello. E siccome il medaglione non me lo tolgo mai, si è tutto melato pure lui.

– E perché non te l'ha detto? Perché non ti ha detto, guarda, ho fatto fare una copia per mia madre, perciò se glielo vedi al collo non preoccuparti.

Eva alza le spalle, e le si apre una specie di tenerezza negli occhi. – Perché è fatto cosí. Spiega poco.

– Sí. È fatto cosí. Anche con me...

Le racconto che mi ha chiesto di andare a vivere con lui, e che me ne andrò. Eva annuisce.

– Lo sapevo già. Ne abbiamo parlato.

– Ah. E cosa ti ha detto? Ti ha per caso detto se mi ama? Perché l'ho visto un po' distaccato.

– Beh, non è abituato. Tu non ci pensare. Vai che dopo tutto si aggiusta. Quando partite?

– Non lo so. Presto.

Eva e io ce ne andiamo a dormire, non proprio felici come dovremmo essere visto che lei ha riavuto il medaglione e io l'amore. E cosa ci manca, allora?

Ellen Terry

Quando una donna s'infuria oltre ogni limite di furia da lei precedentemente conosciuto, per aver appena scoperto che l'oggetto recuperato dopo due anni e con tanta fatica non è l'oggetto giusto, e quando questa donna si precipita dai figli per coprirli d'insulti, è difficile che si preoccupi di non lasciare tracce del suo passaggio. Ma non è impossibile. Se quella donna è Clotilde Castelli, quella donna, prima di scendere urlando con le narici dilatate e le vene del collo grosse come alberi maestri, si premunirà di riammucchiare i vecchi scatoloni davanti allo sportello della cassaforte, e di chiudere a chiave la porta della soffitta. Per questo motivo, quando quella notte Cristiano e Tommaso tornano a casa, non sono in grado di ricostruire il processo che ha portato alla parziale esplosione della loro madre. Sono però in grado di capire che una possibile chiave del suo comportamento quasi letale sarà data dal confronto fra il medaglione A, che le hanno tolto di mano mentre schiumava dalla bocca, e il medaglione B, che si trova in possesso di Eva. Si tratta quindi di andare a recuperare quest'ultimo, ma nessuno dei due fratelli Castelli ha molta voglia di andare in via Varallo, al momento. Tommaso non vuol vedere né Eva né Adele. Cristiano non vuole vedere Adele, mentre di vedere o non vedere Eva sinceramente non gliene importa affatto.

– Vai tu, Tommy. Sei stato tu a combinare questo casino, quindi vai e recupera l'originale. Tra l'altro, perché non hai dato alla mamma quello vero?

– Perché Eva crede nel medaglione. È una ragazza un po' animista. Fai conto quelli che adoravano il coso, come si chiamava quella roba d'oro nel deserto che faceva incazzare Mosè?

– Il vitello d'oro.

– Quello. Se le davo la copia, e poi le cadeva il mondo in testa?

– Sei scemo? Se le davi la copia, adesso nostra madre non era intubata e in pericolo di vita.

– Non è in pericolo di vita. E tra l'altro mi ha rifilato un assegno di un conto chiuso da tre anni. Comunque okay, domattina ci vado.

Avviandosi verso la sua camera, Tommaso è seriamente irritato con se stesso per essersi innamorato, conferma la propria convinzione che è una situazione da evitare, ed è quasi contento che questa brutta malattia dell'anima non abbia la possibilità di andare in produzione. «Meglio cosí, – pensa, – se dovevo stare in questo modo per anni, sai che palle».

Su un punto Tommaso ha ragione. Clotilde Castelli non è in pericolo di vita. Anzi, sta riprendendo energia, come scopre a sue amare spese l'infermiera Paola Salmè il mattino dopo, quando passa a dare un'occhiata alla paziente, noto volto televisivo e quindi oggetto di particolare attenzione da parte dei dottori.

La bionda Salmè si avvicina a Clotilde, che è sveglia, e appena ha la povera ragazza a tiro le pianta le sue odiose unghie nel polso.

– Mi chiami subito l'avvocato Biancone! Subito! Immediatamente!

– Signora, deve stare tranquilla. Appena si sentirà meglio...

– Appena mi sentirò meglio la farò licenziare, cretina, se non mi chiama immediatamente l'avvocato Biancone. Io sono Clotilde Castelli!

– E quindi? – ribatte l'infermiera, che non ama lasciarsi mettere i piedi in testa dai malati.

– E quindi ho fatto la cresima col suo primarioooo!!!

Paola riflette, poi sceglie la tanto battuta strada del compromesso. Apre l'armadietto del letto 23 e porge alla signora il suo cellulare.

– Chiami pure lei. E attenta, che l'embolo è dietro l'angolo.

Mezz'ora dopo, e sono appena le sette e un quarto del mattino, Marta Biancone è seduta accanto al letto 23, e osserva Clotilde che, relativamente sedata, a sua volta scruta lei. Si sta chiedendo, Clotilde, se quella stupida tizia con i capelli rossi di cui non ricorda il nome abbia già raccontato a Marta la faccenda di Umberto o no. Marta sembra normalissima, ma Clotilde decide di prendere anche questo toro, come tutti gli altri che ha incontrato nella vita, per le corna.

– Novità sul conto di Umberto? – le chiede a bruciapelo.

Marta Biancone la guarda chiaramente infastidita:

– Scusa, Clotilde, mi hai tirata giú dal letto alle sette del mattino per chiedermi notizie di Umberto? Non potevi chiamare lui? Hai avuto un malore, non hai preso una botta in testa.

Rassicurata, Clotilde compie ancora una volta quel gesto che potremmo definire il suo marchio di fabbrica, e artiglia il polso dell'amica.

– Giusto, hai ragione, era per prendere tempo, perché quello che devo dirti è molto difficile.

Marta aspetta. Gli avvocati in questo sono un po' come gli psicologi. Aspettano e tacciono.

– Devo farti una confessione.

– O a me o a un prete, – commenta placida la Biancone.

– No, per carità, meglio tu. Senti, Marta, qualche anno fa io ho commesso un piccolo reato.

– Oddio, adesso sí che sembri Umberto. Che piccolo reato?

– Un furto.

– Un furto non è un reato tanto piccolo. Cosa hai rubato?

– Un quadro. Veramente non si può dire che io l'abbia rubato, perché è un oggetto di casa. Sarebbe meglio dire che l'ho venduto e ho fatto credere che l'avessero rubato.

– Quindi era di casa, ma non era tuo.

– Mmmhh... no. Era dei ragazzi. Luigi l'ha lasciato a loro.

– Il Watts! – salta su Marta, incredula. Ricordava benissimo quando dalla villa di Gassino era scomparso il ritratto di Ellen Terry nel ruolo di Titania dipinto da George Frederic Watts, valore circa trecentomila euro. Era svanito durante un weekend in cui Cristiano era assente, impegnato alla Fiera dell'Agricoltura Povera di Bagnacavallo, e in casa c'era solo la signora Maria.

– Il Watts, sí. L'ho preso e l'ho portato in Svizzera. Mi hanno dato solo duecentocinquantamila euro, ma avevo veramente bisogno di cash, Marta. Rinnovare il guardaroba, un colpo di vita, due gioielli. Non dico che mi mancassero i soldi, non mi sono mai mancati, ma duecentocinquantamila da sperperare senza pensarci... tutti in contanti... ahhhh... che meraviglia.

– Chi te li ha dati?

– Un collezionista mormone, canadese. Ce ne sono tanti, sai? Basso profilo, basette, comprano parecchio, ma non si fanno notare come arabi e russi.

– Hai derubato i tuoi figli.

– Infatti, – ammette placida Clotilde. – Ma quelli sospettavano. Cristiano e Tommaso. Lo so che sospettavano. Sono talmente malfidati, Marta, da sospettare di furto la loro madre. Non dico altro.

Marta Biancone, per una rarissima volta nella sua vita, è senza parole. E quando le ritrova, sono banali.

– Clotilde, ma avevano ragione!

– E allora? Il sospetto era meschino lo stesso. A ogni modo, quei due sospettavano e cosí ho dovuto aspettare.

E tanto per non correre rischi, sai mai un terremoto, una perquisizione, ho evitato di tenermi i soldi in casa o di metterli in banca, e li ho nascosti lí, nella villa di Gassino. Cristiano non lo sa, quel citrullo, ma in soffitta c'è una cassaforte segreta. Sia io che Luigi ci siamo sempre ben guardati dal dirglielo. È stupido fidarsi troppo dei figli. Cosí ho messo lí i miei duecentocinquantamila, pensando di aspettare qualche mese, poi riprendermeli e iniziare a spenderli. Solo che la cassaforte è complicata, ha una combinazione difficile, e non mi fidavo a scriverla su foglietti, diari e cose cosí. Tu stessa me lo avresti sconsigliato, no?

– Io ti avrei sconsigliato di rubare il Watts.

– Quello son buoni tutti. Ma ricordo che una volta mi hai detto che i pin non vanno scritti. E questo in un certo senso era un pin. Cosí ho preso il medaglione del povero Memè, l'ho portato da un orefice e mi sono fatta incidere la combinazione sul bordo. Perfetto, no? Il medaglione lo portavo sempre al collo. Si trattava di avere pazienza e...

– Ah, ecco, il famoso medaglione con cui stracci l'anima.

– E certo! Perché poco dopo essermi fatta incidere i numeri giusti l'ho perso in spiaggia! Tu non puoi capire come mi sono sentita quel giorno! Ho setacciato tutte Les Sablettes da capo a piedi. Un delirio. E intanto se l'era preso quella ladra bionda.

– Ci andrei piano, a dare della ladra a destra e a manca.

– Non fare la moralista. Piuttosto, cerca di capirmi, sei mia amica o no? Pensa quando l'ho rivisto, e non sono riuscita a riaverlo! Che dolore, che pena, che tortura. E poi, il miracolo. Tommaso me l'ha riportato.

– Senza sapere niente.

– Cosa vuoi che sappia, quel babbeo. L'ha rubato per cinquemila euro che tanto non gli darò mai. E allora, fammi finire che sono già stanca di parlare, e allora finalmente stanotte sono salita su in soffitta, ho inserito la combinazione, e LA CASSAFORTE NON SI È APERTA! I numeri erano sbagliati!

– Li avrà scritti male l'orefice.

– No! Li avevo controllati e ricontrollati, e ho aperto la cassaforte un sacco di volte, prima di perdere il medaglione. Era cosí bello, Marta... aprivo, guardavo quei soldi, e pensavo a tutte le stravaganze che mi sarei comprata di lí a poco...

– E allora cosa può essere successo? Com'è possibile che adesso non funzioni piú?

– Te lo dico io com'è possibile! È falso, ecco com'è possibile! Quel disgraziato di Tommaso mi ha rifilato una copia! Forse ha capito qualcosa, non so, oppure l'ha dato a quella cretina, non m'interessa, non ho tempo per capire. La priorità è un'altra. La priorità è che tu vada immediatamente dai ragazzi e li costringa a tirare fuori quello giusto. Solo tu puoi riuscirci, ti prego, minacciali di ergastolo, deportazione, quello che vuoi. Fagli paura, Marta, come solo tu sai fare paura agli uomini!

Adele. I fratelli Coen

Alle sei mi sveglia un leggero rumore, ma questa volta non è un uomo che se ne va, è un uomo che arriva. Sentendo brancolare vagamente, penso che sia Zarina, poi mi accorgo che Zarina dorme acciambellata sul mio scendiletto. Allora penso che sia Eva, impegnata in una di quelle attività molto mattiniere note solo alle mamme. Ma una breve occhiata in camera loro me le mostra addormentate in pace. Quindi?

Quindi scendo circospetta, e vedo Tommaso sdraiato sul divano, impegnato a guardare col volume al minimo una vecchia puntata dell'*Ispettore Rosaria*. Sobbalzo, ma solo un poco, perché fidanzandosi con un uomo che mente sulla propria identità e ruba medaglioni, piú o meno ci si aspetta che possa introdursi in casa furtivamente alle sei del mattino. È un po' la stessa linea di azione. Lo guardo un attimo, chiedendomi a quale vita d'illegalità e canzoni per bambini vado a consegnarmi, poi m'intenerisco pensando che ci può essere un solo motivo per la sua intempestiva presenza: io. Ma allora perché non è venuto in camera mia?

– Come sei entrato?

Senza neanche voltarsi, tira fuori di tasca un mazzo di chiavi e le dondola.

– Hai le nostre chiavi? Chi te le ha date?

– Nessuno. Le ho fregate dalla tua borsa, ne ho fatto fare una copia e te le ho rimesse.

– Perché?

– Non si sa mai. E infatti, mi sono servite per entrare senza disturbarvi. Volevo arrivare presto, per essere sicuro che Eva non se la fosse filata.

– Ah.

– Mi serve il medaglione.

– E basta con questo medaglione!

– A chi lo dici, cocca. Ma mi serve.

– Per cosa?

– La curiosity killed il cat.

– Io e te stiamo per iniziare una vita insieme. Quanti segreti dobbiamo tirarci dietro?

– Oh Madonna. Sembri Elisa di cosa, come si chiama. Non sono segreti nostri, va bene? Sono storie di mia madre. Devo confrontare un attimo quel medaglione lí con questo.

Tira fuori una catenella con ciondolo che mi pare assolutamente identica all'altra (ammaccatura su un lato compresa), e la posa sul tavolo. Poi fa un breve fischio, come una specie di richiamo per le allodole, o qualcosa del genere, non so se le allodole si fanno richiamare, né da chi, ma so che se fossi un'allodola e sentissi quel suono, arriverei di corsa. Non so perché, mi prude sulle labbra l'inizio di una poesia di Shelley, ma me la inghiotto subito, come se fosse un biscotto. Ed è chiaro che, in qualche modo, il fischio ha effetto anche su Eva perché un attimo dopo è lí, con una mano stretta forte attorno alla catenina che ha al collo, come per assicurarsi che ci sia e che quella sul tavolo non sia la sua. Tommaso annuisce, soddisfatto.

– Eccoti qui. Puoi darmi un attimo la tua catenina?

Eva stringe piú forte e lo guarda male. Ah, ci risiamo. Cerco di sveltire le operazioni.

– Eva, senti. Deve controllare una cosa e basta. Te la ridà subito.

– Anche l'altra volta mi hai detto di dargliela, e poi guarda.

– Te l'ha riportata, no?

Tommaso sospira, in modo un po' plateale, secondo me.

– Senti, se vuoi non te la levare neanche. Vieni qua vicina, la guardo e basta.

Come per incanto, Eva se la toglie e gliela dà. Lui la mette vicino all'altra, intercetta lo sguardo di Eva, prende un laccetto di quelli per chiudere i sacchetti del freezer, che se ne sta abbandonato sul tavolo, e lo lega intorno alla catenina di Eva. Okay, anche questa è fatta. Poi le guarda tutte e due a lungo con una lente d'ingrandimento, che roba assurda, sembra un film degli anni '70, quelli sui colpi spettacolari, sulle grandi truffe, mi viene in mente quell'attore col mento lungo... non so come si chiama. Vaughn? Robert Vaughn? C'era spesso lui, in quei film. Oppure...

– Eva, qual è quel film dei fratelli Coen con Brad Pitt che fa lo scemo?

– *Burn After Reading.*

Tommaso scarabocchia qualcosa su un pezzo di carta e si alza tutto contento.

– Bene ragazze, vado. Grazie mille.

Come vado grazie mille? E io? Vorrei fargli presente che da quando siamo fidanzati non mi ha piú cagata di striscio, ma non parlo mai in modo volgare, e comunque si vede che qualcosa di denso mi attraversa la faccia perché Tommaso aggiunge in fretta:

– Allora preparati eh, che domani magari si parte.

– Domani?

– Sí, credo. Stasera ti chiamo e ti dico. Dipende un po' anche da questa faccenda.

Prende il medaglione A, e contemporaneamente Eva si lancia sul medaglione B. Poi, non contenta, e nonostante il laccetto, pretende di confrontarli. Mi viene un nervoso che neanche io so perché, e senza salutare il mio amato torno di sopra. Se li vedo ancora trafficare con quelle stupide collanine urlo, ma urlo forte, proprio.

Oscar Wilde

Eva e Tommaso restano soli, ciascuno con la sua catenina in mano, immagini speculari dell'amore che non può comunque dire il suo nome.

– Allora? Sempre decisa a fare l'eroina dell'Ottocento?

– Che Ottocento?

– Niente. Sempre decisa a sacrificarti inutilmente?

– Non mi sacrifico. Preferisco.

– Ora ti bacio.

– No.

– Cioè tu elimini dalla tua vita l'uomo che ami senza neanche un bacio?

– Non ho mai detto che ti amo.

– Veramente me lo stai dicendo da almeno una settimana, ogni volta che mi vedi. Me lo dici dalla punta dei piedi alla punta dei capelli.

– Okay.

– Okay cosa?

– Okay ti amo. Ora te ne vai, che poi Adele scende, e ci trova cosí, e allora è stato tutto inutile?

– Cosí come? Non stiamo facendo niente.

– Dài.

– Ti bacio? Almeno ci trova che facciamo qualcosa per cui varrà la pena di fare una scenata.

Eva, piuttosto che rispondere, se ne va. Tommaso la guarda salire le scale, e si sente trafiggere da un intero alveare di api, ma che ci può fare? Tanto vale tornare a casa, e dire a Cristiano che ha trovato due serie di numeri completamente diversi minuscolamente incisi sul bordo dei due medaglioni.

Robert Gligorov

Come tutti i protagonisti di film su truffe e colpi girati negli anni '70, o anche in altri decenni, i fratelli Castelli non riescono a capire subito cosa significhino le due serie di numeri differenti. Loro non sanno di avere una cassaforte in soffitta e la cassaforte è nascosta dietro un quadro cosí brutto e disgustoso che tutti hanno sempre trovato normale ammucchiarci davanti scatoloni e casse per evitare di guardarlo. Si tratta di *Sic Transeat* di Lorenzo Frangipani, fratello del bellissimo Ascanio, dirigente di banca e pittore dilettante. Rappresenta una bistecca grossa, con l'osso, infestata dai vermi. Una specie di Gligorov dei primi del Novecento, troppo in anticipo sui tempi, però, e poi usava un rosso tendente al violetto che provoca nausea.

Quindi sono all'oscuro, e ipotizzano che si tratti dei numeri che aprono...

– Una cassetta di sicurezza?

– Forse. Ma in che banca? E poi ci vorrebbe la chiave.

– Sarà una cassetta in Svizzera.

– Ma tipo che la mamma ci tiene dei gioielli?

– Scusa, però, se fosse una cosa del genere, ce l'avrebbe detto. Almeno a me. Mi avrebbe detto: «Cristiano, su quel medaglione sono incisi i numeri della mia cassetta in Svizzera, strozza la ragazza se necessario ma recuperalo».

– Può darsi. A me non lo avrebbe detto di sicuro.

– Perché tu sei disonesto.

– Magari.

– Beh, quando si riprende, le chiederemo. Dovrà dircelo per forza, se vorrà indietro il suo ciondolino d'amore che le ricorda tanto il povero Memè.

I fratelli Castelli ridacchiano con una certa amarezza, e le cose resterebbero cosí, se proprio in quel momento la signora Maria non annunciasse l'arrivo dell'avvocato Biancone.

L'arrivo dell'avvocato Biancone ci obbliga a un breve excursus sulla personalità di Umberto Gambursier, quest'uomo che abbiamo imparato ad amare. Per essere tranquillo, e seguire la sua piccola ma concreta idea di felicità, il conte Gambursier non deve avere pensieri perduranti. Immaginate il suo cervello come una bella stanza ariosa, in cui scorrono le immagini di un caleidoscopio: ragazze, auto, cavalli, superalcolici, musica, camicie ben stirate, telefonate dai signorini. Pensieri sempre uguali, con le unghie tagliate. Cosí, va bene. Se invece viene introdotto un pensiero che punge, strappa, infastidisce o preoccupa, cosí non va bene, ma per fortuna esiste una soluzione che non fallisce mai: sottoporlo a Marta. L'errore di Clotilde è stato clamoroso: rifilare a Umberto un fastidio che proprio costituzionalmente lui non può sottoporre a Marta. Dopo la telefonata della sera prima, Umberto si è sbattuto come un merlo in un soprabito, senza trovare via d'uscita. Non si può licenziare la ragazza, Ernesta troverebbe strano che lui volesse licenziare la ragazza, e gli chiederebbe perché, e lui le direbbe la verità, e lei la direbbe a Marta, e Marta vorrebbe di nuovo divorziare. Non c'è scampo, non se ne esce, in piú non gli va di dire che la ragazza ruba, visto che è venuta a salvarlo in quell'aiuola. Inoltre, gli pare di ricordare che i Gambursier non accusano a sproposito la gente. Dev'essere proprio, ne è sicuro, una di quelle cose che i Gambursier non fanno. E quindi?

Va detto che dopo la sensuale riconciliazione i coniugi hanno preso l'abitudine di dormire spesso insieme. Marta spera che prima o poi, anche nel corso dei mesi, Umberto ripeta quella splendida iniziativa di fare l'amore con lei, e Umberto ritiene, giustamente, che la speranza a volte ha gli stessi effetti dell'atto, e per un po' conta di marciarci. Quindi in questa notte di agitazione egli giace accanto a sua moglie, e si gira e rigira nel lettone. L'orologio scocca lentamente l'una, le due, le tre, e lui non trova pace. Quando l'orologio scocca lentamente le quattro, Marta si sveglia, con la sensazione che da ore una tempesta sull'Atlantico faccia rollare e beccheggiare la zattera su cui si è salvata.

– Umberto! Che diavolo ti prende? È tutta la notte che ti agiti!

– MmMf...

– Allora? Si può sapere cosa c'è che ti tormenta?

E per antica forza di abitudine, Umberto glielo dice.

Per questo motivo, quando Marta va a trovare Clotilde Castelli presso l'ospedale Gradenigo, sa già che la sua migliore amica è da anni l'amante, sia pure occasionale e non certo esclusiva, di suo marito. Va detto che non aveva mai sospettato niente e che la notizia la tramortisce parecchio, ma non si diventa Marta Biancone il terrore del tribunale se non si è capaci di dominio assoluto su se stessi. Ecco perché Clotilde si è potuta illudere in un'ingannevole sicurezza. Ed ecco perché adesso Marta, Cristiano e Tommaso stanno aprendo la cassaforte, dopo aver staccato, e prontamente girato contro il muro, *Sic Transeat*. Dentro, nella classica borsa di tela che abbiamo visto in tanti film di truffe degli anni '70, ci sono duecentocinquantamila euro. I fratelli sono incantati, soprattutto Tommaso.

– Ecco fatto. Questi sono vostri.

– Legalmente? – chiede Cristiano.

– Ma sí. Il quadro era vostro, lo avete venduto, sono vostri. Certo, mancano tutta una serie di passaggi, dovete limitarvi a farne un uso frammentario. Cioè, non andate a depositarli in banca. Spendeteli. Un po' alla volta. Non sono mica soldi rubati.

Marta si alza con bella agilità, e si spolvera la gonna scura.

– E ora scusatemi ma devo andare a rovinare un pubblicitario milanese.

Cristiano l'accompagna in giardino e va con lei fino alla macchina, parcheggiata sotto un'acacia.

– Ehh... Marta –. Cristiano vorrebbe dirle qualcosa tipo: mi dispiace che mia madre si sia fatta tuo marito per vent'anni, ma non sa bene come metterla. – Spero... che tu e Umberto... Cioè... cercate di stare bene.

Marta sorride, perfettamente rilassata:

– Stai tranquillo. Il tempo lavora per me. Poco alla volta, le donne diminuiscono. Altre amanti fisse non ne ha. Bene, ti saluto.

Marta sale in macchina e Cristiano la guarda andare via. Eppure anche quello è un matrimonio, pensa. Non ne capisco l'essenza, e non lo vorrei mai per me, però anche quello è un matrimonio.

Tommaso è ancora in soffitta, fermo a guardare la borsa di tela con dentro duecentocinquantamila euro. Ma dopo un attimo si scuote: la vita non è solo contemplazione, e beatitudine dell'osservare da fermi. Agire è indispensabile per trasformare i minuti in giornate. E quindi inizia a contare i soldi, allo scopo di arrivare a due mucchi di centoventicinquemila l'uno. Cristiano lo raggiunge, e dopo aver capito cosa sta facendo, lo interrompe.

– Lascia perdere. Non serve.

– Che c'è? Li sto dividendo.

– Non è necessario. Prendili tutti. Anzi, lascia qualcosa per la mamma. Diciamo cinquantamila. Tanto per non sentirla strillare.

– E tu?

– Non ne ho bisogno. L'azienda va ancora abbastanza bene. Ho la casa. Ho dei soldi in banca. Tu sei quello che non avrà mai niente da parte, e ha bisogno di soldi da consumare freschi.

– Ne ho già consumati tanti. E non mi dureranno.

– Non importa. Voleva un marito ricco. Almeno all'inizio, potrà illudersi.

Non essendo un uomo ipocrita, Tommaso comincia immediatamente a rimettere i soldi nella borsa di tela. È sua intenzione andarsene da quella casa alla velocità di un centometrista giamaicano, prima che a Cristiano passi la fase mistica e lo rincorra con la roncola per farseli ridare. Non rinuncia, però, a insegnare un attimo a vivere a quel deficiente di suo fratello.

– Senti qua. Okay, la ami, sei innamorato, sei senza speranza perché lei ama me, però non essere proprio troppo coglione, ti prego. Prenditene almeno un po'. Cinquantamila pure tu. Comprati una Ferrari usata.

– Per farne che? Non mi piacciono le macchine. Però, promettimi...

Tommaso lo interrompe, inorridito:

– Ti prego no, ti prego non dirmi «promettimi di farla felice» perché se no giuro che ti do un pugno.

– Ah no, quello no. Non è possibile. Non sarà mai felice con te. Stavo dicendo «promettimi di farli durare almeno due anni».

– Due anni? Duecentomila? Non so, onestamente non so.

Mezz'ora dopo si abbracciano sul piazzale. Eccoli qui, i due fratelli: tutti e due innamorati, nessuno dei due può avere la donna di cui è innamorato, tutti e due compiono per lei gesti intrinsecamente romantici, e quindi privi di senso agli occhi di chi romantico non è. Sono cose che legano, giusto?

I due fratelli dunque si abbracciano sul piazzale, poi Cristiano rientra in casa e Tommaso parte alla volta di via Varallo.

Anna Karenina

Dopo una breve riflessione, Marta Biancone decide di non lasciare nulla al caso. Tanti anni prima, una sua amica inglese, lady Sybil, le aveva donato un cuscino ricamato a piccolo punto, con il motto «Faber est suae quisque fortunae» in filo rosa, circondato da farfalline multicolori. L'oggetto era pacchiano, ma l'idea era ottima. Quindi, Marta torna al Gradenigo, dove la sua amica Clotilde sta per essere dimessa, con grandissima gioia dell'infermiera Salmè e del personale tutto. Quando la vede, Clotilde è entusiasta:

– Ah Marta! Bravissima. Stavo per chiamarti, volevo sapere com'è andata con i ragazzi. Perché non mi hai telefonato? Ero in ansia, non riuscivo a star ferma.

– Né zitta, – puntualizza l'infermiera, che poi si allontana in tutto il suo metro e ottanta di altezza.

– Una maleducata che non ti dico, – commenta Clotilde. – Andiamo, che qui dentro non mi ci vedo un minuto di piú.

Quando sono in macchina, Marta accende il motore e sorride a Clotilde, gentile come sempre.

– Allora, i soldi li abbiamo trovati. Tommaso ha recuperato il medaglione originale, che aveva dato alla ragazza.

– Cioè? Li avete...? – Clotilde è stranita, leggermente sotto choc. Non erano queste le istruzioni che aveva dato a Marta. Ma di certo lei avrà poi...

– Trovati. Ho detto ai ragazzi dov'era la cassaforte, l'abbiamo aperta e abbiamo trovato duecentocinquantamila euro in una borsa di tela. Proprio come avevi detto.

– Ma... non dovevi... Marta... ma... i soldi?
– Ci sono, ci sono. Li hanno i ragazzi.
– I CHE COSA? COSA CHI? I QUALI?
Clotilde straparla e si agita, e la sua amica la osserva sperando che non le venga un altro e piú definitivo coccolone proprio dentro la sua macchina.
– MA COSA HAI FATTO!!!!
– Ho restituito i soldi ai tuoi figli, a cui li avevi rubati. Pensandoci bene, ho capito che è proprio quello che avresti voluto. Sono sicura che il tuo malore sia stato indotto dal senso di colpa.
– Ma quale senso di colpa! Tu sei pazza! Io ti denuncio! – Ma per quanto berci e minacci, strilli e batta i pugni, Clotilde deve arrendersi alla realtà: i soldi se li sono presi Cristiano e Tommaso; Cristiano e Tommaso sanno che lei si è rubata il quadro, sarà molto difficile, per non dire impossibile, che Cristiano e Tommaso le sgancino qualcosa.
– Oh, non saprei, – Marta interrompe placida le farneticazioni di Clotilde, mentre parcheggia lungo il giardinetto che sta al centro di piazza Maria Teresa. – Vedrai che qualcosa ti daranno. Cristiano ha uno spiccato senso della compassione. Sarebbe stato un buon magistrato, giusto secondo coscienza.
– E che mi frreeeeegaaa! Di quei cazzo di magistrati che dovrebbero metterli tutti in galeeeeraaa!
– Calmati. Ah, mi hanno detto di ridarti questa –. Marta porge a Clotilde la catenina col medaglione e Clotilde, schiumando di rabbia, la scaglia dal finestrino. – Non me ne faccio una mazza di questa cagata da quattro soldiiiii!!! Memè era un imbecille mezzo frocio!
– Ah, ecco. Beh, sai che un po' lo pensavo anch'io?
Clotilde ansima, tossisce, poi prende Marta per le spalle.
– Dimmi solo una cosa. Perché l'hai fatto? Hai visto la stiratrice?
– No. Ho visto lui.
E Marta indica suo marito Umberto, che sta prendendo

un pastis seduto a uno dei tavolini sotto gli alberi che costituiscono la naturale propaggine esterna del caffè Maison.

– Gli ho dato appuntamento qui. Voleva parlarti. E anch'io volevo parlarti. Siamo preoccupati per il tuo senso di colpa. Non dev'essere uno scherzo vivere sapendo di aver tradito per vent'anni la tua migliore amica, povera Clotilde.

La povera Clotilde spalanca la portiera, scende, afferra la borsa e scappa a gambe levate verso il suo portone, dopo aver sibilato a denti stretti, visto che c'è gente e noblesse la oblige a non strillare:

– Non me ne frega niente né di te né di lui, andatevene affanculo e quanto al senso di colpa te lo scordi, fregarti il marito era facile come leccare la panna da uno chantilly.

Mentre Clotilde si allontana, Marta raggiunge Umberto al tavolino.

– Ah, cara, ti ho vista arrivare e ti ho ordinato un pomodoro, piccante. Ma... Era Clotilde, quella?

– Sí, è tanto giú, mi fa una pena...

– Mmm... pena? Ma... mahhh... non dovevamo parlarle? Non volevi che io... uhm...?

– Niente, non ci pensare. Ho fatto già io, tranquillo. Credo che non la vedremo piú tanto.

– Ah, certo, benissimo –. Umberto si rilassa. L'idea di quell'incontro con Clotilde e Marta insieme gli provocava una certa ansia. Certo, Marta era stata gentile a non voler divorziare, e perciò la doveva accontentare un po'. Che brava donna, pensa, osservando con un certo affetto l'estranea con cui è sposato da tanti anni. Chissà perché non mi manda al diavolo. Devo proprio piacerle parecchio. Incoraggiato da questa latente certezza, azzarda:

– Ehh... stasera c'è il compleanno di Gigi al Vogue.

– Sí? Non preferiresti andare al cinema?

Umberto non preferirebbe, ma capisce che c'è da pagare penitenza, e la paga da signore, con un sorriso.

– Senz'altro preferirei. C'è qualche bel film da vedere?

Li lasciamo lí, mentre Marta si prepara a infliggergli *Anna Karenina*.

In tutto questo tempo, Tommaso dovrebbe essere arrivato in via Varallo, aver preso Adele ed essere già partito per Follonica, pronto a iniziare la sua nuova vita coniugale su commissione. Ma non l'ha fatto. Allontanandosi da Gassino, invece di puntare dritto su Torino, quartiere Vanchiglietta, ha proseguito lungo corso Casale, ha quindi attraversato il ponte di piazza Vittorio e ha percorso in rapida successione tutti i corsi e i viali che l'hanno portato in breve tempo a imboccare l'autostrada Torino-Piacenza, che con opportune e mirate deviazioni si trasforma a un certo punto in Torino-Genova. Da Genova, non resta che proseguire verso Livorno-Rosignano, per giungere dopo qualche ora alla pace e ai pini di Follonica.

Infatti il possesso di duecentomila euro ha un po' modificato il suo approccio alla vita. Che senso ha, si è chiesto, portarmi a casa una ragazza che non amo per far contenta quella che amo? Che stupidaggine. Se Eva non vuole stare con me per non litigare con la sua amica, vuol dire che di me, o dell'amore, non gliene importa abbastanza. Quindi se devo soffrire preferisco farlo insieme a duecentomila euro che insieme a una gnagnera di quelle che piacciono a mio fratello.

Ah, che bel sospiro di sollievo gonfia a questo punto la felpa sdrucita verde bottiglia che copre un po' a casaccio l'armonioso torace di Tommaso. Tutto sommato, questa breve rimpatriata a Torino è finita proprio bene.

Si chiede se chiamare Adele e dirle che disfi pure la valigia, poi decide di lasciar perdere. Aspettarlo invano le farà montare la rabbia, e smontare il dispiacere. Soddisfatto della decisione presa per il bene di tutti, Tommaso si ferma a fare benzina al primo autogrill dopo il casello, sentendosi in pace con il mondo.

Adele. Olivia de Havilland

Per essere una donna che sta per coronare il suo sogno d'amore, mi trovo un po' mesta. Eccomi qui, seduta in cucina con le valigie pronte. Tommaso mi ha telefonato, dicendomi che sarebbe passato verso le tre. Adesso sono appunto le tre. Eva e Jezz sono via da stamattina, sono andate a lavorare in un vivaio, per sostituire una vivaista che si è tirata una fontana di ghisa su un piede. Ci siamo salutate sobriamente, a parte che io piangevo. Dopo una breve discussione, si è deciso che Zarina sarebbe venuta con me. Eva deve già pensare a Jezz e a Guercio. A Follonica starà benissimo, faremo le corse in pineta.

– E se Tommaso non la vuole? – mi ha chiesto Eva, mentre imbacuccava Jezz in una T-shirt con le maniche corte che però per lei erano lunghe, e dei bermuda che però per lei erano un pigiama palazzo.

– Se vuole me, prende anche Zarina.

Eva mi ha rivolto uno sguardo che non ho capito. Tipo preoccupato.

– Stai attenta, sai come sono questi abituati a vivere da soli...

Ho alzato le spalle:

– Appunto. Adesso non vivrà piú solo. Vivrà con me e con Zarina.

Eva ha rinunciato, e io ho preso Jezz in braccio.

– Ciao ciao, – le ho detto. – Adele va via.

– Sí.

Mi ha guardato come per dire non farla tanto lunga, tu non resterai nemmeno nei miei ricordi.

– Hai ragione. Ciao Jezebel, sei il primo bambino che, veramente, c'è mancato poco che ti volessi bene.

Jezz ha riso e mi ha abbracciata. Guercio ha riso e mi ha abbracciata. Eva ha sorriso, mi ha abbracciata e se li è portati via.

E cosí adesso sono qui che aspetto Tommaso, che arriverà da un momento all'altro, solo che mentre penso ai giorni che ho vissuto in questa casa, e a cose del genere, si sono fatte le quattro. Provo a chiamarlo sul cellulare. Segreteria telefonica. Tanto per passare il tempo, lavo i piatti, scopo, passo lo straccio per terra, mi svuoto il portafoglio e ne divido il contenuto. Metà lo rimetto dentro, metà sotto il centrotavola di ceramica che occupa militarmente il tavolo della cucina. Ed è in quel momento, in quel preciso fotofinish con il trionfo di limoni in una mano e settanta euro nell'altra, che mi viene in mente il film. Quel film bellissimo che ho visto la scorsa settimana, una delle videocassette di Eva. *L'Ereditiera.* Veramente fantastico. Tutto bianco e grigio, morbido come un gattino, con delle inquadrature cosí belle che mi veniva da piangere per non aver mai studiato bene geometria.

Quello in cui lei, un'attrice di cui non mi ricordo mai il nome, è una ricca ereditiera bruttina e lui è un tipo che mira ai soldi, ma lei non ci crede e decide di fuggire con lui. Solo che il tipo, un attore bello che è morto giovane, mi pare, viene a sapere che lei, se scappa con lui, non erediterà piú niente, cosí ha deciso il padre. E quindi tutto è pronto per la fuga, siamo in casa di notte, la ragazza è pronta, con quei mantelli neri leggeri che si mettevano nell'Ottocento, e ci sono le candele, gli altri dormono e lei aspetta, aspetta, aspetta, ma lui non viene. Passano un sacco di anni, il padre dell'ereditiera muore, lei diventa ricchissima, allora il tipo bello torna come se niente fosse e vuole sposarla. «Scappiamo insieme, – gli dice lei. – Vieni a prendermi stanotte». E lei aspetta, aspetta, e lui arriva, e bussa, bussa, bussa, ma lei non gli apre mai, mai mai, titoli di coda. Ecco, all'improvviso capisco che io sono lei, e che Tommaso non verrà. Che per la seconda volta in poco piú di un mese un uomo mi abbandona, non sa cosa farsene di me. Che non partirò per Follonica per vivere in una piccola casa con un grande amore. E mi lascio travolgere da un inaspettato e meraviglioso senso di sollievo.

Non so se quelli che avevano la lebbra ai tempi di Gesú ogni tanto guarissero, mi pare di sí, ad esempio la sorella di Ben Hur, se non sbaglio, a ogni modo se guarivano dovevano sentirsi veramente grati al destino, e lo stesso io, mentre disfo le valigie, mi preparo un tè e mi chiedo come può essermi passato per la testa di voler vivere con un uomo appassionato di canzoni per bambini. Meno male, meno male, Dio che proteggi le ragazze stupide e tanto da fare hai, meno male che mi ha mollata lui, e senza neanche dirmi mezza parola, meno male che è un millantatore buono solo a rubare collane. Pensa se fossi andata, e adesso, invece che qui, fossi in macchina con quello sconosciuto, diretta in una cittadina di provincia a non fare niente. E dopo avrei dovuto lasciarlo, e pianti, e proteste, e prendere il treno, e magari intanto Eva si era presa un'altra inquilina... invece niente, non è successo niente, perché grazie al cielo lui è un mascalzone, e io ho rimesso a posto le cose nella mia camera, mi sono ripresa i settanta euro, e sto togliendo le erbacce in cortile, e intanto penso a cosa fare della mia vita. Rassegnarmi a lavorare tutti i giorni? E a fare cosa? Stamattina ho perso il mio unico posto di lavoro con una telefonata a Ernesta in cui le annunciavo che partivo per il Paese dei Balocchi con Tommaso Castelli.

– Umf, – ha commentato lei.

– È una storia lunga, ma insomma, ci amiamo e mi ha chiesto di vivere con lui.

– Mmmm...

– Che c'è?

– Niente. Hai consultato il tuo oroscopo di questo mese?

– Non credo all'oroscopo.

– A ogni modo, auguri. Peccato, non la troveremo piú una brava come te a stirare.

Beh, mi sono sentita orgogliosa. C'è qualcosa che so fare veramente bene.

Ma solo quello. Se non stiro, non ho piú nessuna possibilità di guadagnare mezzo euro, a meno che la fioraia del cimitero mi richiami causa improvviso aumento di defunti, ma spero di no. E quindi? Tornare al vecchio progetto del marito ricco? Mmmhh… no. Se c'è una cosa che ho imparato negli ultimi tempi è che dipendere dagli altri non dà sicurezza. Passa una russa, e ti ritrovi in mezzo a una strada. Peccato, perché altrimenti con Cristiano… E mi viene voglia di telefonargli e raccontargli questa storia di Tommaso, che non era vero che lo amavo, e se magari… Non so. Resto lí con le erbacce in mano, ripensando a quando siamo andati a Palazzo Madama, e a com'era evanescente, come una specie di angelo adulto disegnato da un artista cupo. È un bel pensiero, che scalda il cuore, ma non mi ci soffermo piú di tanto perché arriva Eva, con il suo carico abituale: bambina, bambola e strani sacchetti di plastica.

– Sei qui? – Per una volta, mi sembra veramente scossa. Jezz con un grido di entusiasmo si ricongiunge a Zarina, che la travolge senza farle male.

– Eh sí. Non è venuto. Mi ha mollata.

– Non è possibile… – È cosí sconvolta che non nota il sorriso rettangolare dieci per quattro che mi campeggia in faccia.

– Ti giuro. Niente. Neanche una telefonata. A quest'ora sarà quasi a Follonica.

Eva annuisce, poi posa bene i suoi sacchetti, alza una mano col palmo aperto e mi dice:

– Scusa un attimo.

Esce in giardino, e la vedo allontanarsi circospetta verso il cancello con il cellulare in mano.

Magra Ovest

– Volevo solo dirtelo, tutto lí.

Tommaso è fermo all'autogrill Magra Ovest sulla Genova-Livorno, e ha pensato di chiamare suo fratello per avvertirlo che non si è preso la ragazza. Gli sembra un pensiero gentile e non capisce la reazione stizzosa di Cristiano.

– Perché adesso secondo te cosa dovrei fare? Saltellare come un ranocchio felice e poi correre da lei a dirle: visto che mio fratello non ti vuole, ti consolo io?

– Beh, sarebbe carino. Immagino che sia un po' distrutta. Anche se... non so, non credo che fosse veramente convinta fino in fondo. Va beh, fai come vuoi, io te l'ho detto. Ciao.

– Aspetta. E l'altra? Perché non hai preso lei?

– Sí, figurati... sarà arrabbiata come una biscia che ho mollato la sua amica.

– Si vede che sei esperto di relazioni ma non di sentimenti. Se è innamorata, da qualche parte dentro di lei c'è una ragazza sincera che sperava che tu mollassi la sua amica e andassi da lei a dirle: non posso vivere senza di te.

– Oh, ma io posso vivere senza di lei. È piú brutto, ma posso.

«Posso, posso, posso», pensa Tommaso, e ordina una Coca grande e un panino col prosciutto crudo. Mentre ha la bocca troppo piena per rispondere, il telefono squilla, e compare la scritta EVA.

– Gnonto, – dice, districandosi nel boccone.

– Scusa, forse ho capito male. Hai mollato qui Adele e sei partito da solo?

– Schpet –. Tommaso inghiotte a fatica mezz'etto di crudo e altrettanto pane, che gli s'inchiodano nell'esofago mettendo a repentaglio la sua esistenza. Trattiene il fiato sperando di riuscire a far procedere all'ingiú il solido. Sofferenza atroce, amplificata dalle parole all'altro capo del satellite.

– Avevi promesso. Avevi promesso di provare. Me l'avevi promesso.

– Sí. Scusa. Devo finire di... AAAGHH... sí, te l'avevo promesso, ma è una cosa senza senso.

– Provavi, e dopo vedevi se era senza senso.

– L'ho già visto, tesorina mia. Non la amo. Amo te. Sarebbe stupido.

– Me l'avevi promesso.

– E cos'hai, cinque anni? Prometti un sacco di cose, quando hai davanti una che ti sregola. Di solito a me succede in altri momenti. Sai a quante ho promesso di sposarle in fase pre-orgasmica? Con te è già strano che eravamo vestiti e distanti.

– Quindi non eri veramente sincero.

– Ero, e non ero. Ero veramente innamorato, però.

– Non m'importa se sei innamorato. Se eri veramente innamorato di me, provavi a fare quello che ti ho chiesto. E invece vedi che ho ragione? L'amore fa fare solo cose brutte e sleali.

– Non è vero. Se tu adesso prendi una qualsiasi macchina e mi raggiungi qui all'autogrill Magra Ovest, l'amore ti avrà fatto fare una cosa bella e leale.

– Non ci penso neanche. Credo che andrò in Finlandia.

– A fare?

– A pensare a mia figlia. A comprarle un vestito della sua misura.

– Ah... questa non è la mia Eva.

– La tua Eva non esiste!

Eva riattacca, molto alterata, e si volta con le lacrime agli occhi, giusto in tempo per vedere Adele che è ferma sulla porta di casa, con la faccia di una che ha sentito tutto.

Adele. L'agente Pirrello

Rientro in casa, vado in camera mia e chiudo la porta. Schiumo di rabbia come una birra calda. Ecco che tutto si spiega, ecco perché era cosí evanescente, il mio innamorato. Perché non era il mio innamorato, era l'innamorato di Eva, e quella cretina deficiente idiota l'ha costretto a mettersi con me, o almeno ci ha provato, come la stupida imbecille protagonista di un romanzetto di Delly o altri autori della collana «I Romanzi della Rosa», di cui facevo collezione e che adesso sono impilati nello sgabuzzino di mia mamma. L'ignoranza! L'ignoranza! Se quella babbea avesse letto qualcosa in vita sua, anche solo un fotoromanzo, ammesso che esistano ancora, lo saprebbe che queste cose non vanno mai, mai a buon fine. Che sono stupide inutili cagate melense e in malafede, per di piú, perché se a lei fosse importata mezza biro di Tommaso, col cavolo che cercava di rifilarmelo. Ecco! Ecco perché si guardavano tanto male: perché si piacevano come calamite! Come ho fatto a non capirlo, quando chilometri quadrati di roba che ho letto stavano lí a dirmelo? Ma Elizabeth e Darcy non mi hanno insegnato niente? Okay, lo so che Eva e Tommaso sono lontanissimi dal modello originale, ma tutte quelle occhiatacce! E adesso, cosa faccio? Non posso mica stare chiusa qui dentro per sempre. Devo scendere, e fare una scenata a Eva. Spaccare un po' di teiere della zia Teresa.

Tendo l'orecchio per sentire i rumori di sotto: perché non viene a bussare alla mia porta in lacrime? Non sento niente. Zero suoni. Circospetta, scendo, e le trovo tutte e tre addormentate. Nel quarto d'ora scarso in cui ho schiumato di rabbia, questa sconsiderata si è stesa sul divano e si è addormentata, con la figlia altrettanto addormentata rannicchiata vicino al cane altrettanto addormentato acciambellato ai piedi. Eh già, al vivaio le avranno fatto spostare sacchi di compost per sei ore. Intravedo la possibilità di andarmene lasciandole un biglietto urticante.

Invece sospiro, e prendo la borsa. Alla fine, l'ho scampata. Nonostante tutto, la realtà ha vinto sul romanzesco e non sono partita per la Toscana con un uomo che non amo, e che non mi ama. Sono rimasta qui, nella mia casina di via Varallo, senza danni permanenti.

È arrivato il momento d'investire i miei ultimi soldi in qualcosa che avrei dovuto comprare prima. Una chiavetta Internet. Fine dell'isolamento. Rientrerò in contatto col mondo e troverò un lavoro. E magari scriverò una mail a Cristiano. Cosí, per dirgli che... niente. Per dirgli un niente da cui lui capisca tutto.

Torno mezz'ora dopo, con la mia chiavetta, ed Eva si è svegliata. Sta preparando il tè. Mi guarda senza dire niente.

– Ancora qui? – le chiedo.

– Beh, non è che volevo partire immediatamente per la Finlandia. Scusami tanto, Adele.

– Due cose. Primo, hai rischiato di combinare un vero casino, perché ho recentemente scoperto che di Tommaso non me ne frega niente. Casomai, il fratello.

Eva s'illumina, ed Eva illuminata è qualcosa che vale la pena di vedere.

– Veramente?

– Veramente. Era solo choc di fronte a tanta bellezza, ma lui come persona non mi dice niente.

– Come in *Sabrina*.

– Sí, esatto. Come in *Sabrina*. Stiamo parlando dell'originale?

– Beh, certo. Ce l'ho in cassetta.

– Un giorno ce lo rivediamo. Seconda cosa: mi pare di

capire che invece a te diceva, come persona. Tommaso, intendo.

– Sí.

– E lui ti ama cosí perdutamente da essere disposto a mettersi con me per amor tuo?

– Alla fine no. In generale, non credo che lui possa amare perdutamente, però...

– Ti ha chiesto di raggiungerlo a Follonica?

– Mi ha chiesto di raggiungerlo all'autogrill Magra Ovest.

– E quindi torniamo alla mia domanda iniziale: ancora qui?

Eva si accascia impercettibilmente. – E come ci vado?

Già. La mia macchina è ormai lontanissima da qualunque copertura assicurativa e nel frattempo dev'essere scaduto anche il bollo. Non è un mezzo con cui solcare le autostrade. Però, penso, e intanto che penso l'ho già presa per un braccio inducendola a sbrigarsi, però fino ad Andezeno ci devo provare, e poi sia quel che sia, alla peggio me la sequestrano.

La passiamo liscia, nessuno ci ferma, e arriviamo senza intoppi davanti alla Ferramenta Rubatto, con annessa dimora di Fratello Giona. Ci presentiamo sulla porta tutte e quattro, per spirito di corpo abbiamo portato anche Zarina. Purtroppo, ad aprire viene direttamente la famosa cognata Marisa, una donnetta con la coda di cavallo e una tuta completa. Voglio dire questo: tutte abbiamo il diritto d'indossare pezzi assortiti di tuta, se siamo sole in casa nostra, ma una tuta completa no, è una cosa troppo brutta. Marisa ci squadra, e quello che vede non le piace:

– Ciao... come mai?

Resta piantata sulla porta, e non sembra propensa a farci entrare, ma provaci tu a tener fuori Zarina quando vede un gatto. Con un allegro guaito sposta di mezzo metro Marisa, entra e cerca di arronchiare un gattino grigio che scappa a razzo con la coda a palla fin sopra il televisore, rovesciando lungo il percorso ninnoli e cornici. In un lampo siamo tutte dentro e, mentre Marisa strilla e insegue il cane, Jezz strilla anche lei per simpatia, e io ed Eva cerchiamo di richiamare Zarina, arriva Giona e con una mano sola e apparente assenza di sforzo afferra Zarina, la tiene ferma, prende il gattino, lo butta fuori, chiude la porta, e dice:

– Ciao Eva.

Marisa si butta su un divano ansimando come se avesse appena fatto lo sbarco in Normandia:

– Lo sai che abbiamo preso un gatto! Come ti è venuto in mente di venire qui con un cane!

– Scusa, – intervengo, – è colpa mia. Il cane è mio.

– Mio, – precisa Jezz, e non posso darle torto.

– Scusa Giò, avrei dovuto telefonare ma ho molta fretta. Potresti prestarmi il Fiorino?

– EH NO EH! BASTA!

Giona non ha fatto neanche in tempo ad aprire bocca. Anche ai miei occhi di estranea alla famiglia appare evidente che Marisa quest'occasione la aspettava da un pezzo. A differenza di Guenda, Marisa non dissimula. Osservo con ammirazione la spavalda esibizione di rabbia che ci offre, noncurante del fatto che al gruppo si è unita anche una ragazzina sui tredici anni che dev'essere la famosa Susanna. Susanna mi fa molto ridere perché è uguale a Giona ma imita la madre, quindi è come un omaccione grosso rimpicciolito, con la coda di cavallo e l'aria petulante.

– Basta, Eva. Tu piombi qui, quando ti pare e piace, e sempre per chiedere qualcosa. Ora basta. Giona ha la sua vita, la sua famiglia, lo devi lasciare stare. E prestami questo e dammi quello. Tra un po' sto Fiorino ce l'hai piú te che lui. Mi spiace, ma è ora di finirla, e questa volta la risposta è no.

Eva guarda suo fratello, e lui fa un gesto da perdente con la testa:

– Dài, Eva, lo sai anche tu. In piú, stasera mi serve proprio. E anche domattina. In questi giorni mi serve proprio.

Bene, penso, è adesso che posso veramente aiutare Eva. Venendo a capo di queste due grandissime teste di minchia. Mi rimbocco mentalmente le maniche, e parto:

– Senti, Giona. Non mi conosci, mi chiamo Adele, sono un'amica di Eva. L'ho accompagnata qui con una macchina senza assicurazione e senza bollo... – Marisa borbotta: «Un'altra buona» ma non ci faccio caso, – ... e già questo dovrebbe aiutarti a capire la gravità della situazione. Questa ragazza, tua sorella, deve immediatamente partire per raggiungere l'uomo che ama. Un ragazzo intelligente, di ottima famiglia, che può garantire un futuro sicuro a lei e a Jezebel, ma solo, ripeto solo, a patto che Eva possa raggiungerlo immediatamente, altrimenti questa splendida occasione svanirà PER SEMPRE. Eva lo ama, lui ama lei, e ti garantisco che, quando lo conoscerete, lo amerete anche tu e Marisa. Marisa di sicuro. MA se tu adesso non le presti il Fiorino, per lei è la fine. Lo perderà, e resterà sola, senza un soldo, con il cuore spezzato, e Jezebel che pigola sempre piú piano. Pensaci, Giona.

Giona resta immobile. Poi si alza, va a un portachiavi di legno appeso al muro e prende delle chiavi.

– NOO!!! – urla Marisa, e gli si avventa contro. Lui la scosta, e si ferma:

– Posso usare la tua Punto, – le dice. Cinque parole, definitive. E dà le chiavi a Eva.

– È parcheggiato davanti alla Banca. Fammi sapere.

Eva trasferisce sul Fiorino Jezz e uno zaino grande pieno di roba.

– Non so neanche dove cercarlo. Al telefono è irraggiungibile. Di certo non è piú all'autogrill Magra Ovest.

– Follonica è piccola, lo trovi.

Giona, visto che tanto Marisa piú arrabbiata di cosí non può essere, ha dato a sua sorella anche cento euro. Io le ho dato tutto quello che ancora avevo: novanta euro.

– Chiamami. Dimmi dove siete.

– Stai tranquilla. Ma tu? Che farai?

Alzo le spalle, esattamente come avrebbe potuto fare lei:

– Mi cerco qualcosa. Vendo la macchina, se non me la sequestrano.

Guardo il Fiorino allontanarsi verso la Torino-Piacenza. Zarina protesta.

– Su, torniamo a casa.

Ma raramente la fortuna bussa due volte alla portiera della stessa macchina. Tornando in città, ci ferma effettivamente la polizia e, proprio cosí, mi sequestrano la macchina. Per riaverla dovrei fare delle cose che al momento non sono alla mia portata, tipo pagare una multa che corrisponde al mio ipotetico reddito annuale. Bye-bye Panda, addio duemila euro realizzabili mediante vendita. Gli agenti devono aver visto quanto ero accasciata, perché ci hanno accompagnate a casa, me e Zarina.

Questo nonostante l'agente Pirrello sia allergico ai peli di cane e abbia starnutito per tutto il tempo.

– Non è vero che ACAB, – gli dico scendendo dalla volante. Ma lui non capisce.

Apro con circospezione dei barattoli discount che trovo in dispensa. Non mi sono ancora abituata bene alla bassa qualità del cibo, ma sento che è questione di giorni. Mi sto abituando alla bassa qualità di quasi tutto il resto. Shampi giallini venduti in enormi bottiglioni, bagni schiuma puzzoni, saponi e detersivi fatti, credo, con le ossa degli asini morti... profumi piú niente, dopo aver esaurito anche l'ultimo campioncino dell'Olfattorio. Tutto si può usare di bassa lega, ma non il profumo. Perciò annuso il pesce morto galleggiante nell'olio che trovo nel barattolo, e lo rendo commestibile scolandolo e mischiandolo a un pomodoro, che quelli, per fortuna, li prendiamo al mercato. Mentre mangio sono cautamente ottimista. Intanto, è arrivato il momento di far sganciare a mia madre, offrendole questa semplice alternativa: o mi fai un prestito oppure torno a vivere qui. Vedrai che me lo fa, me lo fa!

Poi ho una casa tutta mia. Non credo che Eva tornerà tanto presto, e se le cose per lei vanno bene, potrebbe anche non tornare piú. Domattina appena sveglia chiamo Ernesta e le chiedo se posso tornare a stirare da loro e se conosce qualcun altro che ha bisogno, e già mi vedo stirare nelle piú ricche case di Torino, strapagata. Con il prestito di mia madre recupererò la macchina, la venderò, mi comprerò un motorino usato e sfreccerò per la collina... «Ehi... passa la Stiratrice Coi Capelli Rossi!»

Do una pacca sulla schiena a Zarina. – Dài, che domani ti porto al canile –. Mi guarda, accenna una risata e mi fa capire con discrezione che è l'ora del Tonus Complet. Svuoto ben bene il sacchetto, e mi rendo conto che domani devo procurarmene dell'altro. Ho una responsabilità. Un essere vivente dipende completamente da me. Non c'è piú Eva che arriva con pacchetti di avanzi o mezzi sacchetti di crocchette per cani recuperati chissà come. Ora ci devo pensare io. A te.

Il Diavolo Zoppo

Ve lo ricordate il Diavolo Zoppo? Quello di Lesage? Un diavolo uscito da una fialetta, che conduce lo studente Cleofa in volo sopra i tetti di Madrid, in una notte stellata, e gli mostra quello che succede nelle case, eliminato per magia l'ostacolo dei tetti. In questa sera di aprile, mentre Adele si rassegna definitivamente all'età adulta, il diable boiteux vi porta in volo a contemplare la sorte dei nostri personaggi.

Clotilde Castelli, come abbiamo visto, non guida, e quindi se vuole precipitarsi a casa di Cristiano e cercare in qualche modo di spaventarlo al punto da farsi ridare i duecentocinquantamila, deve prendere un taxi. Essendo avara e spendacciona nello stesso tempo, le scoccia buttare i quaranta o cinquanta euro che le costerà il tragitto da piazza Maria Teresa a Gassino, ma li spende, e un'ora dopo scende davanti alla casa di suo figlio. Ha optato per la visita invece che per la telefonata perché sa che Cristiano non ci mette niente a staccare il cellulare. Ma staccare lei in carne e ossa che urla e spacca statuine non sarà altrettanto facile. Cosí, in questo momento, mentre Adele finisce di mangiare il merluzzo col pomodoro, Clotilde Castelli sta venendo a sapere da Cristiano che i soldi sono partiti per Follonica insieme a Tommaso, tutti tranne cinquantamila che lui le porge, pregandola di non farsi piú vedere per un bel pezzo.

– Devi capire che non ti sei comportata bene, mamma.

– Mi sono comportata benissimo, invece. Il Watts l'ho fatto comprare io a quel buzzurro rifatto di tuo padre. E quell'ingrato l'ha lasciato a voi. Se non fosse già morto, gli torcerei il collo.

Su queste belle parole affettuose di madre e di moglie, Clotilde afferra i cinquantamila, e ingiunge a Cristiano di riportarla a casa. Ma lui, segno del nuovo corso, rifiuta, e si offre invece di chiamarle un taxi.

E cosí, mentre Adele si rigira nel letto perché ancora non ha completato la sua giornata, Clotilde è di nuovo in piazza Maria Teresa, con cinquantamila euro in piú.

Ma, se ne rende conto a un certo punto, fra lo spazzolino da denti e la camicia da notte, un'amica in meno. Niente piú Marta. La conosce, non la perdonerà. Mai, di tutti i mai del mondo. Anche se le chiedesse scusa, Marta sorriderebbe, le direbbe di non pensarci piú e poi la terrebbe metodicamente e amabilmente a distanza per il resto della sua vita.

Quando una donna perde nell'arco di ventiquattro ore duecentomila euro e l'amica piú cara, può sentirsi veramente abbattuta. Ma non se questa donna è Clotilde Castelli, che invece sogghigna allo specchio. Che mi frega? Lunedí vado a Roma a chiudere per la trasmissione. Giovedí vado in Serbia a dragare il territorio in cerca di nuove poetesse. E domani chiamo Maria Consolata Greco. Le dico di propormi come nuova autrice per Dany Delizia. Posso farlo. Voglio farlo.

E a dimostrazione che può e vuole farlo, accende il Pc (puah...) e apre un nuovo documento Word.

Titolo: NON L'HO POSTATO IO!

Dany smise di torturarsi l'orecchino, colpita da quello che aveva appena detto Zaffiria:

– Hai ragione... dovremmo dare una lezione a quella stronza.

Che idea grandiosa. Dare una lezione. Come mai non ci aveva pensato lei stessa? Eppure l'aveva sentito dire tante volte: ti darò una bella lezione. Ad esempio, subito prima che sua madre le togliesse l'iPhone. Certo, non durava, perché poi se lo dimenticava sul tavolo e lei lo riprendeva. Ma l'idea era okay, era molto okay, dare una lezione sí, a quella stronza, síííí!

– Che stronza? – chiese però a Zaffiria, perché in effetti non aveva idea di che stronza fosse.

– Boh, – rispose Zaffiria, prendendo un altro Mars.

– Una qualunque, – precisò Pippa, prendendo un altro Mars.

– Ah, – comprese Dany, prendendo un altro Mars, – una stronza qualunque.

Per un attimo, le tre amiche mangiarono Mars in silenzio. Poi, quasi simultaneamente, nei loro cervelli deserti passò la stessa immagine:

– Maria Piangina! – strillarono all'unisono. Era iniziata una nuova avventura!

Clotilde rilegge quello che ha scritto. È perfetto, semplicemente perfetto. Il mondo le spalanca davanti un altro invitante tratto di autostrada.

Intanto Cristiano ha spento il cellulare, per evitare sia di essere chiamato da sua madre che di cedere al desiderio di chiamare Adele. Il Diavolo Zoppo ce lo mostra mentre controlla gli ordini di Prendi e Taci per la settimana seguente. Ha chiuso i suoi pensieri e i suoi sentimenti in un sacchetto di plastica con la cerniera lampo. L'ultima cosa che ha pensato prima di tirarla è stata: se anche lui fosse in Tasmania, e io mi innamorassi di una ragazza a Uppsala, lui arriverebbe e lei si innamorerebbe di lui. Quindi, tanto vale lasciar perdere.

Cosí, quando finalmente Adele si decide a scrivergli il messaggio, lui non lo vede.

Ed eccoci a Eva, che è arrivata piú o meno all'altezza dell'autogrill Magra Ovest. Jezz dorme, chiusa insieme a Guercio in un lettino di tela saldamente ancorato nel retro del furgone, ma poco prima dell'autogrill si sveglia e inizia a cigolare. Avrà fame, sarà da cambiare, vorrà un po' di coccole dopo tre ore sola lí dietro. Eva rallenta, è stanca, vuole un caffè, deve fare benzina, le sue esigenze e quelle della figlia sono come una freccia luminosa che punta verso l'autogrill Magra Ovest, anche se lí non c'è piú nessuno che l'aspetta. Parcheggia, scende, prende in braccio Jezz, va all'autogrill, fa quello che deve fare, paga, esce, risale nel furgone, mette in moto e si avvia verso le pompe di benzina. Ed è lí che vede, parcheggiata vicino al distributore, una Renault color cacca metallizzata.

Si avvicina, guarda dentro, e dentro c'è Tommaso, addormentato. Contempla quella bellezza che nel sonno sembra tanto carica di promesse, tutte buone. Sa che non è vero che sono buone, ma le promesse, quelle ci sono. Cosí, ancora una volta, apre la portiera di una macchina non sua, e lei e Jezz saltano dentro. Tommaso si sveglia e senza stupirsi le stringe forte, poi chiede, sensato:

– Come sei arrivata?

– Col furgone di mio fratello.

– Puoi lasciarlo qui?

Eva ci pensa un attimo, poi risponde, sensata:

– Sí. Prendo solo due robe.

Dieci minuti dopo la piccola famiglia parte per andare a casa, e il furgone di Giona resta lí, abbandonato a Magra Ovest, com'era scritto nel suo destino.

Adele. Emerenziana

Ormai sono abituata ai risvegli che ti catapultano in una realtà nuova e cosí, quando alle sette e mezza una violenta scampanellata mi sbatte giú dal letto, sono pronta. Mi passo una mano sulla faccia, zittisco Zarina che abbaia e mentre scendo le scale capisco che ci sono soltanto due possibilità: è Cristiano, che ha letto il mio sms e viene a sentire che cosa ho da dirgli. È Eva, che non ha trovato Tommaso, oppure l'ha trovato con un'autostoppista belga, e quindi è tornata a casa.

Ma quando apro la porta, mi trovo davanti due signore di mezza età, di cui una visibilmente irritata. È una brutta giornata, il cielo è carico di pioggia inesplosa e il vento agita le due lunghe pezze grigie che le signore portano sulla testa. Suore?

– Chi è lei? – sbraita quella irritata, con le chiavi in mano.

Vorrei poter dire la stessa cosa, ma io so chi è lei. È zia Teresa, che grazie alle sue chiavi ha aperto il cancello, ma non la porta, perché nella serratura ci sono le mie, di chiavi, infilate bene a bloccare i malviventi.

– Buongiorno, sono Adele Brandi, un'amica di E…

– E cosa ci fa in casa mia? Dov'è mia nipote?

Intanto è entrata, e ha sbattuto per terra una valigetta nera da suora, e anche l'altra ha posato per terra (non sbattuto, perché lei non è arrabbiata) una valigetta nera da suora, e si guarda intorno, tutta contenta e paffuta. – Oh… Teresa, ma è proprio carino qui…

– Sua nipote è… mmmhh… in Toscana. Non la aspettavamo. Eva mi ha detto che lei era in Perú.

Zia Teresa mi guarda con disprezzo.

– E allora? Anche se fossi stata in Perú, questa è casa mia, e non un ostello della… – mi squadra. Non sono cosí giovane, dopo tutto. Si corregge. – Un albergo. E comunque come vede non sono in Perú.

– L'altitudine… – spiega l'altra, sempre guardandosi intorno, come una in visita con l'agente immobiliare. – Emerenziana e io abbiamo deciso di rientrare in Italia. E di stabilirci qui.

– More uxorio, – specifica Emerenziana, ma il colpo di scena va perso perché io sono sotto choc. Zia Teresa è tornata, e io adesso…

– Ben. Se non le spiace, se ne vada immediatamente. Lei capisce, questa è casa mia, e l'avevo detto a mia nipote, che poteva stare finché non avessi deciso di tornare, e a ogni modo lei non è mia nipote, e quindi faccia il favore.

– Mi dia solo il tempo di…

– Raccolga la sua roba.

In quel momento si accorge di Zarina, che era rimasta alle mie spalle, guardinga. Allunga una mano:

– Bel cagnone. Bel cagnone.

Intravedo uno spiraglio, e mi ci butto.

– Si chiama Zarina. È un cane braviss…

Con zia Teresa è impossibile finire una frase.

– Spero che non mi abbia lasciato peli in giro. Lo metta fuori. Può aspettare lí mentre lei fa le valigie.

Niente spiraglio. Però, almeno un…

– Posso farmi solo un caffè?

Zia Teresa ci riflette meno di niente. Si toglie il cerchietto con la pezza, leva qualche briciola dal tavolo e serenamente mi risponde: – No.

Mezz'ora dopo sono seduta su una panchina del Lungo Po, con Zarina, due valigie e alcuni sacchetti di plastica.

Non ho piú la casa, non ho piú la macchina, ho sei euro nel portafoglio.

– Questa è la situazione, Zarina.

Cristiano non ha risposto al mio messaggio. Ma in questo momento non posso permettermi il lusso delle pene d'amore. Devo concentrarmi sulle pene della sopravvivenza.

– E per nostra fortuna abbiamo anche la soluzione. Ora prendiamo un paio di autobus e andiamo dalla mamma.

Sarà meglio avvertirla, però. Almeno ha il tempo di ricomporsi e far finta di essere contenta di vedermi, quando arriverò con un cane, due valigie e vari sacchetti di plastica. Sua figlia, la barbona.

– D'altra parte, – dico a Zarina che mi guarda corrugando la fronte (è un cane con la fronte), – non abbiamo alternative. Lo so che da lei staremo male, ma che altro posso fare? Se sapessi suonare il violino o il sax potremmo chiedere la carità, ma gli studi letterari non danno la possibilità di mendicare.

Zarina annuisce, e si alza traballante. Stamattina non le ho neanche dato da mangiare. Non so perché, veramente non me lo so spiegare, ma è esattamente questo il pensiero che mi fa venire moltissime lacrime agli occhi.

Le inghiotto, mi asciugo il naso con la manica e prendo il cellulare. Ma proprio non ce la faccio a schiacciare il tasto MAMMA. Schiaccio invece, forse solo per perdere tempo, il tasto ERNESTA.

– Ernesta? Sono Adele Brandi.

– Ah, Adele, come stai? Piangi?

– Eh... sí. Non importa. Senti, volevo chiederti una cosa. Avete già trovato qualcun altro che stira?

– È andata male col giovanotto?

– È una storia lunga.

– Vieni su a raccontarmela.

– Adesso?

– Hai altri impegni?

– No, ma ho un cane, due valigie e tanti sacchetti di plastica.

Mi chiede dove sono e mi dice di non muovermi.

Appena chiudo la telefonata, l'ultima esile tacca di carica si azzera e con un bip il mio telefono muore. Il caricabatteria è da qualche parte in valigia, ma tanto sulla panchina non ci sono prese elettriche. Sto senza, poi vedremo.

Mezz'ora dopo la Jaguar del conte Umberto Gambursier si ferma davanti alla mia panchina. Il conte scende, mi apre la portiera e prende i sacchetti.

– Ma... Ernesta ha mandato lei? Mi spiace...

– Avevo qualche momento libero. E poi adesso è lei quella nell'aiuola, quindi spetta a me salvarla.

Perfetto. Vacilla un attimo quando Zarina sale sulla Jaguar, ma non si è conti per caso, e la fa accomodare con molto garbo.

Poi, mentre andiamo verso la villa, mi chiede:

– Eh... lei... scusi se glielo domando ma... dovrebbe eventualmente dire qualcosa a mia moglie?

Ah, già, in tutto quello che è successo mi sono dimenticata del ricatto. Tecnicamente non è piú necessario, visto che Eva ha riavuto la catenina. E tanto, purtroppo, non sarei mai stata in grado di mantenere la minaccia.

– Non saprei... no, mi pare di no. Vengo solo a chiedere se posso tornare a stirare per voi.

– Stirare? Certo che può stirare! E per quell'altra cosa... ehm... già detto io... tutto a posto.

– La cosa migliore, – annuisco, e non scambiamo piú mezza parola fino a quando la Jaguar si ferma davanti alla porta finestra della cucina, sul retro della villa.

Ernesta mi aiuta a trasferire tutto, tranne Zarina, in cucina, e mi prepara il caffè che mi è stato negato da quelle due suore della malora. Mi sfogo con lei.

– Capisci? Non potevano stabilirsi more uxorio in Perú? Adesso mi tocca tornare da mia madre.

Ernesta rabbrividisce. – Per carità. Quando ve ne andate, tornare non vale. Ma lo sai che mio figlio ha trentacinque anni e ancora vive con me e dipinge tutto il giorno in camera sua? Fa dei quadri enormi, non li porta da nessuna parte e aspetta di diventare famoso. No, ti prego, lascia in pace tua madre.

Non rispondo niente. Ernesta si concentra, poi mi guarda bene, e chiede:

– Sai lavare i vetri?

Doris, la signorina filippina

«Lo so, che non sei partita. Mio fratello ti ha scaricata e adesso vuoi tornare al piano A». Questo pensa, credendosi cinico, Cristiano, quando legge finalmente, alle nove del mattino, il messaggio che Adele gli ha mandato la sera prima.

Sempre credendosi cinico, decide quindi di precipitarsi in via Varallo, e dirle cosa pensa di lei. Cioè, non tutto. Non le dirà che la trova bellissima, né che quando sono andati a Palazzo Madama non ha neanche visto le opere di Mark Ryden perché era troppo attento a guardare lei e a immaginare di baciarla qui e lí nelle varie camere da letto delle principesse. No, le dirà invece che è meravigliato, molto meravigliato della faccia tosta con cui cerca di recuperare lui appena Tommaso l'ha scaricata, e che purtroppo però lui di una donna che si è innamorata di Tommaso non sa che farsene, quindi tanti auguri e CIAO.

Ben caricato e ruggente, arriva in via Varallo e suona alla porta. Gli aprono due suore che si tengono per mano. No, la signorina Brandi non c'è piú e mai piú ci sarà, no, non sanno dov'è andata, buongiorno.

Il telefono di Adele, e di conseguenza Adele stessa, risultano irraggiungibili.

Adele, in realtà, si è completamente dimenticata del telefono, e della necessità di metterlo in carica, perché ha appena accettato il suo primo vero impiego a tempo indeterminato. Diventerà collaboratrice domestica fissa della famiglia Gambursier, a millecinquecento euro al mese, sostituendo cosí la signorina Doris, appena partita per tornare a Manila e sposare un macellaio vedovo.

Adele avrà una cameretta in mansarda, la domenica libera, sabato mezza giornata, mezza giornata il mercoledí. Questo per quanto riguarda gli accordi ufficiali, che andranno poi ratificati dall'agenzia Nuova Collaborazione. Gli accordi privati prevedono anche la possibilità di leggere tutti i libri presenti in casa, a patto di non sciuparli e rimetterli dove sono stati presi, oltre a vitto, alloggio e libero parco per Zarina.

Adele non si sofferma sul pensiero che una laurea, la specialistica, piú sette anni dedicati esclusivamente ad approfondire la sua cultura le hanno fruttato un posto di domestica. Si sofferma invece sul pensiero che la fortuna, la gentilezza di Ernesta e le mire matrimoniali di un macellaio filippino le hanno fruttato una casa, un lavoro e la possibilità di riorganizzarsi una vita.

Adesso, pensa trascinando i sacchetti di plastica fino al corridoio delle mansarde, abito in una casa che dà pastina alla nostra di Biella. Panorama dalla finestra: super. Arredo: ogni scheggia vale quanto un mese del mio stipendio. Buon gusto a palettate. Ora si tratta d'imparare a pulire veramente bene i bagni, e sto a posto.

Si siede sul letto, e chiude gli occhi. È contenta, in quel modo pratico e senza fronzoli in cui si è contenti quando si sa che ogni mese, alla fine del mese, qualcuno certamente ci darà dei soldi. Per adesso, può bastare. L'amore... l'amore d'ora in poi sarà gratis. E se Cristiano è perso, forse da qualche parte ci sarà un autista, o un maggiordomo, che s'innamorerà di lei.

Cristiano non è però completamente perso, perché quella specie di Stella dei Re Magi che noi chiamiamo istinto lo spinge a risalire in macchina e a raggiungere Villa Gambusier. È in effetti molto ansioso di trattare male Adele, e crogiolarsi nella soddisfazione di vederla infelice, e gli viene in mente che magari è andata a stirare dalla Biancone, e potrà insultarla mentre inamida le camicie da smoking di Umberto.

Adele. Riccioli d'Oro

Da quando la mia esistenza ha preso questo andazzo dickensiano, non mi meraviglio piú degli sviluppi narrativi escogitati dal mio autore, chiunque sia, e perciò quando bussano alla porticina della mia mansarda... e dico porticina perché è una stanza piacevole ma un po' misura Riccioli d'Oro... e al mio «Avanti» invece di Ernesta o uno dei filippini superstiti entra Cristiano, lo trovo perfettamente plausibile.

– Ehi, ciao, – gli dico.

– Mi hanno detto che ti hanno assunta come domestica.

– Ah ah.

– Ma sei capace?

– No, ma a occhio non mi sembra impossibile imparare. Tutti puliscono le case senza difficoltà, mi pare.

Non dice niente per un po', mentre io continuo a mettere i vestiti nei cassetti.

– Quindi? Cosa volevi dirmi?

– Beh, in parte l'avrai già capito. Non sono partita con tuo fratello.

– O meglio, mio fratello ti ha scaricato.

– No. Sí. No. Non volevo piú andare.

Lo guardo, in attesa: coglierà quest'occasione d'oro per fare «Ah ah ah» come Sir Williams? La classica risata sardonica, tipo Athos quando Milady tenta di rifilargli una delle sue balle?

No. Resta serio e mi dice:

– Sei proprio una stronza. Bugiarda e stronza. Il povero cretino dovrei essere io. Ma sappi che...

– ALT! – gli dico, folgorata da una consapevolezza fantastica. – Alt, ti prego non dire «francamente me ne infischio»! Ti prego non dirlo! Perché noi qui, io e te, abbiamo un'occasione unica.

Mi avvicino a lui e guardo quest'uomo a cui non ho dato mai neanche un bacio, e a cui sento però di potermi legare senza scadenze certe. Inspiro il suo profumo, e sono quasi sicura che sia «Passage à l'enfer» dell'Olfattorio. Lo guardo negli occhi.

– Abbiamo la possibilità di vendicare milioni, decine di milioni di spettatori di *Via col Vento*. Pensaci bene: io ho appena scoperto che amo Rhett e non Ashley, e tu, Rhett, stai per dire che francamente te ne infischi. Dopo di che uscirai da questa mansarda e tornerai a Gassino, e io mi butterò sul letto in lacrime pensando che domani è un altro giorno, e domani...

Lui mi guarda, ipnotizzato, e io accendo una candelina votiva mentale a santa Sherazade.

– E invece no, Cristiano. Tu mi bacerai subito, adesso, prima che compaia la parola fine.

Lui è contro la porta, e io mi avvicino fino a coincidere.

Un attimo di esitazione e poi mi stringe. Per adesso, l'ho conquistato. A convincerlo ci penserò domani, perché, effettivamente, domani è un altro giorno.

FINE

Una notte, una settimana dopo…

Mentre Clotilde scrive e Marta aspetta Umberto che è andato a una festa dai Sambuy, mentre Eva, Tommaso e Jezz passeggiano nella pineta di Follonica, mentre Cristiano e Adele si salutano al telefono perché questa non è la serata libera del personale, mentre zia Teresa ed Emerenziana si preparano la tisana della buonanotte e Guenda e Ruggero si decidono finalmente a provare l'Articolo 34C del catalogo…

In questa notte di maggio una ragazza attraversa piazza Maria Teresa immersa in profondi pensieri. Si chiama Flora, deve prendere una decisione complicata, e niente la aiuta a farlo. Ha le mani in tasca, la testa china, gli occhi arruffati… ma vede, all'improvviso, fra i cespugli che circondano il giardino, qualcosa che luccica alla luce fioca dei lampioni. Qualcosa che luccica rappresenta un'attrazione irresistibile per qualunque ragazza degna di questo nome, e quindi anche per lei, che si avvicina, e allunga una mano fra i ligustri. Quando la tira fuori, stringe in pugno una catenina d'oro, a cui è appeso un grazioso medaglione ottagonale.

Indice

Stampato per conto della Casa editrice Einaudi
presso ELCOGRAF S.p.A. - Stabilimento di Cles (Tn)

C.L. 22288

Edizione										Anno
2	3	4	5	6	7		2015	2016	2017	2018